paninis, sandwichs & wraps

carnet de cuisine

LAROUSSE

21 rue du Montparnasse 75283 Paris Cedex 06

Édition originale
Cet ouvrage a été publié pour la première fois en 2011 sous le titre *Panini, Wraps & Sandwiches* par McRae Publishing Ltd.

© 2011 McRae Publishing Ltd

Édition : Anne McRae, Marco Nardi
Direction artistique : Marco Nardi
Photographies : Brent Parker Jones
Textes : Stefania Corsi

Édition française
Direction éditoriale : Delphine Blétry
Édition : Mathilde Piton, assistée de Candice Roger
Traduction : Hélène Nicolas
Direction artistique : Emmanuel Chaspoul
Réalisation : Belle Page, Boulogne
Couverture : Véronique Laporte

ISBN : 978-2-03-587053-7
Dépôt légal : avril 2012
Imprimé en Chine

Sommaire

Bon appétit !

Cet ouvrage réunit plus de 100 délicieuses recettes de sandwichs, wraps et paninis. Leur niveau de difficulté est indiqué en tête de chaque recette par les chiffres 1 (pour les simples) et 2 (pour les moyennement faciles). Les 25 recettes qui suivent ont été sélectionnées spécialement pour vous mettre l'eau à la bouche! Vous pouvez les retrouver aux pages indiquées en haut de chaque photographie.

● LES SIMPLISSIMES

54

Wraps FROMAGE, SAUCISSON & ROQUETTE

63

Wraps POULET, CHOU & PAPAYE

70

Wraps BŒUF & CHUTNEY DE TOMATES

93

Sandwichs CONCOMBRE & TAPENADE

105

Sandwichs SAUMON & MASCARPONE

7

Paninis ROQUETTE, TOMATE & CHÈVRE

40

Paninis FROMAGE & OIGNONS CONFITS

● LES VÉGÉTARIENNES

80

Wraps POIVRONS & HOUMOUS

84

Wraps TOFU & CURRY

116

Baguette ŒUFS & FROMAGE

LES TRADITIONNELLES

Paninis de CAPRI

Paninis CHOU
& FROMAGE

Wraps FALAFELS
& HOUMOUS

Sandwichs THON
& MAYONNAISE

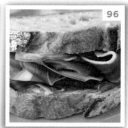

Sandwichs au JAMBON
DE PARME

Paninis FROMAGE,
CUMIN & RAISINS SECS

Wraps THON
& OLIVES

NOTRE COUP DE CŒUR

Paninis au POULET ÉPICÉ

Sandwichs SAUCISSON
SEC & FIGUES

Roulés ROBIOLA
& SAUMON FUMÉ

| VOICI LE | PALMARÈS | DE NOS | MEILLEURS | SANDWICHS ! |

Focaccias TOMATES
& MAQUEREAU

Paninis PROSCIUTTO
& TOMATES SÉCHÉES

Petits pains
aux CHAMPIGNONS

Wraps BOULETTES
DE BŒUF & POIVRON

Sandwichs PROVOLONE
& POMME

Paninis

Paninis ROQUETTE, TOMATE & CHÈVRE

- 2 focaccias (pains plats italiens s'achetant dans les épiceries biologiques) d'environ 20 cm de côté
- 1 gousse d'ail
- 12 tomates cerises
- 120 g de fromage de chèvre crémeux (type Petit Billy)
- 1 poignée de roquette
- 12 feuilles de basilic
- 1 ou 2 cuill. à soupe d'huile d'olive vierge extra (facultatif)
- Sel et poivre du moulin

Pour 2 personnes • Préparation : 10 min • Cuisson : 5 à 10 min • Difficulté : 1

1. Préchauffez un appareil à croque-monsieur ou à panini à température moyenne.

2. Ouvrez les focaccias en deux. Pelez l'ail, puis frottez-en le pain sans trop appuyer.

3. Coupez les tomates cerises en deux. Tartinez la base de chaque focaccia de fromage de chèvre. Ajoutez la roquette, les demi-tomates et le basilic. Arrosez éventuellement d'un filet d'huile. Assaisonnez, puis couvrez avec le dessus des focaccias.

4. Faites griller les paninis de 5 à 10 minutes et servez.

Si cette recette vous plaît, vous aimerez aussi...

Paninis FIGUES, PANCETTA & CHÈVRE

Paninis de CAPRI

Paninis TOMATES SÉCHÉES & FROMAGE

Le terme « panini » (« sandwichs » en italien) est synonyme de « sandwichs grillés » dans la plupart des pays. Tous les paninis de ce livre sont grillés. On trouve dans le commerce de nombreux appareils à croque-monsieur ou à panini. Les recettes qui suivent sont réalisées avec ces appareils qui ne sont cependant pas indispensables. En effet, les paninis peu épais peuvent se cuire dans une poêle ou sur un gril et les paninis faits avec de la baguette ou dont la garniture est épaisse peuvent griller au four à 200 °C (therm. 6-7).

Paninis PANCETTA & ANANAS

> 1 oignon
> 1 cuill. à soupe d'huile d'olive vierge extra
> 1 petite gousse d'ail
> 50 à 70 g d'ananas
> 2 petits pains blancs au sésame ou complets
> 4 tranches épaisses de pancetta, de prosciutto ou de jambon blanc
> 1 ou 2 cuill. à soupe de sauce au piment doux (voir la recette p. 10)
> Poivre du moulin

Pour 2 personnes • Préparation : 10 min • Cuisson : 5 à 10 min • Difficulté : 1

1. **Préchauffez** un appareil à croque-monsieur ou à panini à température moyenne.

2. **Pelez** l'oignon et tranchez-le. Mettez l'huile à chauffer dans une poêle à feu moyen, puis faites revenir l'oignon pendant 3 ou 4 minutes.

3. **Pelez** l'ail et hachez-le avec l'ananas. Ouvrez les pains en deux, puis couvrez leur base d'oignon, de pancetta, d'ail et d'ananas. Arrosez d'un filet de sauce au piment et poivrez.

4. **Faites griller** les paninis de 5 à 10 minutes et servez.

Si cette recette vous plaît, vous aimerez aussi…

Paninis MORTADELLE, FROMAGE & SALADE

Paninis PROSCIUTTO & TOMATES SÉCHÉES

Paninis SAUCISSON, OLIVES & AIL

Sauce au PIMENT DOUX

Pour 50 cl • Préparation : 10 min • Repos : 12 h •
Cuisson : 20 min • Difficulté : 1

> 2 gros piments rouges
> 1 gousse d'ail
> 300 g de sucre en poudre
> 25 cl de vinaigre de vin de riz
> 12 cl d'eau
> 1 cuill. à café de gingembre râpé

1. Émincez les piments. Pelez l'ail, puis hachez-le. Dans une casserole à fond épais, mélangez le sucre avec le vinaigre et l'eau. Portez à ébullition sur feu vif, puis baissez le feu. Ajoutez les piments, le gingembre et l'ail. Laissez mijoter pendant 20 minutes.

2. Réservez pendant au moins 12 heures avant de servir.

3. Transvasez la sauce dans des bouteilles ou des bocaux en verre stérilisés.

4. Conservez cette sauce jusqu'à 1 mois au réfrigérateur.

KETCHUP

Pour 75 cl • Préparation : 15 min • Repos : 12 h •
Cuisson : 15 à 20 min • Difficulté : 1

> 400 g de tomates concassées en conserve
> 1/2 oignon
> 1 gousse d'ail
> 30 g de sucre en poudre
> 2 cuill. à soupe de vinaigre de cidre
> 2 feuilles de laurier
> 2 baies de genièvre
> 3 clous de girofle

1. Mettez les tomates et leur jus dont le bol d'un robot et mixez jusqu'à obtention d'une purée.

2. Épluchez le demi-oignon et râpez-le. Pelez l'ail, puis émincez-le. Réunissez ces ingrédients dans une casserole à fond épais. Ajoutez la purée de tomates, le sucre, le vinaigre, les feuilles de laurier, les baies de genièvre et les clous de girofle, puis portez à ébullition sur feu vif. Laissez mijoter de 15 à 20 minutes en remuant régulièrement.

3. Passez la préparation dans un chinois. Transvasez-la dans des bouteilles ou des bocaux en verre stérilisés et réservez au réfrigérateur pendant au moins 12 heures.

4. Conservez ce ketchup jusqu'à 1 mois au réfrigérateur.

Tapenade aux OLIVES VERTES

Pour 25 cl • Préparation : 15 min • Cuisson : 5 à 10 min •
Difficulté : 1

> 1 cuill. à soupe de câpres en saumure
> 2 gousses d'ail
> 250 g d'olives vertes dénoyautées
> 15 g de feuilles de persil plat
> 3 filets d'anchois
> 1 cuill. à soupe de jus de citron
> 3 cuill. à soupe d'huile d'olive vierge extra
> Sel et poivre du moulin

1. Rincez les câpres. Pelez l'ail, puis mettez-le dans le bol d'un robot avec les câpres, les olives, le persil et les anchois. Mixez le tout et ajoutez le jus de citron. Incorporez lentement l'huile à la préparation et mixez jusqu'à obtention d'une sauce homogène. Salez et poivrez.

2. Servez immédiatement ou transvasez dans un récipient hermétique et réservez au frais.

3. Conservez cette tapenade jusqu'à 1 semaine au réfrigérateur.

Sauce BARBECUE

Pour 75 cl • Préparation : 15 min • Repos : 12 h •
Cuisson : 20 à 30 min • Difficulté : 1

> 1 oignon
> 3 gousses d'ail
> 4 cuill. à soupe d'huile d'olive vierge extra
> 400 g de tomates concassées en conserve
> 6 cuill. à soupe de vinaigre de malt
> 50 g de sucre roux
> 4 cuill. à soupe de Worcestershire sauce
> 2 cuill. à café de thé fumé
> 1½ cuill. à café de piment en poudre
> 1 cuill. à café de moutarde en poudre
> 1 cuill. à café de cumin en poudre
> 1/2 cuill. à café de Tabasco

1. Pelez l'oignon et l'ail, puis hachez le tout. Mettez l'huile à chauffer dans une casserole à feu moyen. Faites revenir l'oignon et l'ail 5 minutes dans l'huile.

2. Ajoutez tous les autres ingrédients dans la casserole et remuez l'ensemble. Portez à ébullition, puis laissez mijoter de 20 à 30 minutes.

3. Transvasez la préparation dans des bouteilles ou des bocaux en verre stérilisé et réservez au réfrigérateur pendant au moins 12 heures.

4. Conservez cette sauce jusqu'à 1 mois au réfrigérateur.

Paninis PECORINO, MIEL & NOIX

> 12 cerneaux de noix grillés
> 120 g de pecorino
> ou de parmesan en copeaux
> 4 tranches de pain aux noix,
> ou de pain de mie blanc
> ou complet
> 2 ou 3 cuill. à soupe de miel

Pour 2 personnes • Préparation : 10 min • Cuisson : 5 à 10 min • Difficulté : 1

1. Préchauffez un appareil à croque-monsieur ou à panini à température moyenne.

2. Hachez les cerneaux de noix. Répartissez le pecorino sur 2 tranches de pain, puis ajoutez les noix. Arrosez de miel et couvrez avec les tranches de pain restantes.

3. Faites griller les paninis de 10 à 15 minutes et servez chaud.

Paninis FIGUES, PANCETTA & CHÈVRE

> 1 poignée de roquette

> 4 figues

> 4 tranches de pain de mie blanc ou complet

> 90 g de fromage de chèvre crémeux (type Petit Billy)

> 4 tranches de pancetta ou de saucisson

> Sel et poivre du moulin

Pour 2 personnes • Préparation : 10 min • Cuisson : 5 à 10 min • Difficulté : 1

1. Préchauffez un appareil à croque-monsieur ou à panini à température moyenne.

2. Hachez la roquette et coupez les figues en quatre. Tartinez 2 tranches de pain de fromage de chèvre, puis couvrez-les de roquette et assaisonnez. Ajoutez la pancetta et les quartiers de figue. Recouvrez avec les tranches de pain restantes.

3. Faites griller les paninis de 5 à 10 minutes et servez.

La mortadelle est un saucisson de porc, originaire de Bologne, au cœur de l'Italie. Sa viande contient des grains de poivre noir qui la parfument au cours d'une longue cuisson à basse température. Si vous n'en trouvez pas, vous pouvez la remplacer par du jambon.

14

Paninis MORTADELLE, FROMAGE & SALADE

- 120 g de mortadelle
- 120 g de gruyère, d'emmental ou de cheddar
- 6 à 8 tomates cerises
- 2 gros pains blancs individuels
- 60 g de mayonnaise (voir la recette p. 42)
- 50 g de salade verte
- Sel et poivre du moulin

Pour 2 personnes • Préparation : 10 min • Cuisson : 5 à 10 min • Difficulté : 1

1. Préchauffez un appareil à croque-monsieur ou à panini à température moyenne.

2. Tranchez finement la mortadelle et le gruyère, puis coupez les tomates cerises en quartiers. Ouvrez les pains en deux. Tartinez leur base de mayonnaise, puis ajoutez la salade, la mortadelle, le gruyère et les tomates cerises. Assaisonnez et couvrez avec le dessus des pains.

3. Faites griller les paninis de 5 à 10 minutes et servez.

Si cette recette vous plaît, vous aimerez aussi...

Paninis PANCETTA & ANANAS

Paninis SAUCISSE & OIGNON

Paninis CHAMPIGNONS, BACON & PESTO

Paninis POULET, CÉLERI & PISTACHES

> 4 tranches de pain de mie blanc ou complet
> 120 g de poulet rôti
> 1 tige de céleri-branche
> 2 ou 3 cuill. soupe de mayonnaise (voir la recette p. 42)
> 2 ou 3 cuill. à soupe de pistaches grillées
> Sel et poivre du moulin

Pour 2 personnes • Préparation : 10 min • Cuisson : 5 à 10 min • Difficulté : 1

1. Préchauffez un appareil à croque-monsieur ou à panini à température moyenne.

2. Découpez un disque dans chaque tranche de pain avec un emporte-pièce de 8 à 10 cm de diamètre.

3. Détaillez le poulet en lamelles, puis émincez le céleri. Tartinez le pain de mayonnaise. Répartissez le poulet sur 2 disques de pain, puis ajoutez le céleri et les pistaches. Assaisonnez et recouvrez des disques de pain restants.

4. Faites griller les paninis de 5 à 10 minutes et servez.

Paninis PROSCIUTTO & TOMATES SÉCHÉES

> 2 tranches épaisses d'aubergine
> 4 tomates séchées
> 2 petits pains ronds aux céréales
> 2 grosses tranches de mozzarella
> 2 fines tranches de prosciutto
> Poivre du moulin

Pour 2 personnes • Préparation : 10 min • Cuisson : 10 à 20 min •
Difficulté : 1

1. Préchauffez un appareil à croque-monsieur ou à panini
   à température moyenne.

2. Faites chauffer un gril à feu vif, puis mettez les tranches
   d'aubergine à griller de 5 à 7 minutes.

3. Hachez les tomates séchées. Ouvrez les pains en deux,
   puis placez 1 tranche d'aubergine sur leur base. Ajoutez
   1 tranche de mozzarella, 1 tranche de prosciutto pliée
   et les tomates. Poivrez, puis couvrez avec le dessus
   des pains.

4. Faites griller les paninis de 5 à 10 minutes et servez.

Le cumin et le fromage vont très bien ensemble,
en particulier lorsqu'ils sont accompagnés de raisins secs.
Si vous le souhaitez, vous pouvez remplacer ces derniers
par d'autres fruits secs ou confits, comme le gingembre,
l'ananas ou la papaye. Vous pouvez aussi utiliser un autre fromage
que le gruyère, comme le comté, le beaufort ou le cantal.
Veillez simplement à en choisir un au goût bien marqué.

Paninis FROMAGE, CUMIN & RAISINS SECS

> 120 g de gruyère
> 2 petits pains ronds, blancs, complets ou aux noix
> 2 à 4 cuill. à soupe de mayonnaise (voir la recette p. 42)
> 2 cuill. à café de moutarde de Dijon
> 2 ou 3 cuill. à soupe de raisins secs
> 1 cuill. à café de graines de cumin

Pour 2 personnes • Préparation : 10 min • Cuisson : 5 à 10 min • Difficulté : 1

1. **Préchauffez** un appareil à croque-monsieur ou à panini à température moyenne.

2. **Tranchez** finement le gruyère. Ouvrez les pains en deux, puis tartinez leur base de mayonnaise et de moutarde. Ajoutez le fromage. Parsemez de raisins secs et de graines de cumin, puis couvrez avec le dessus des pains.

3. **Faites griller** les paninis de 5 à 10 minutes et servez sans attendre.

Si cette recette vous plaît, vous aimerez aussi...

Paninis PECORINO, MIEL & NOIX

Paninis TOMATES SÉCHÉES & FROMAGE

Paninis FROMAGE & OIGNONS CONFITS

Paninis SAUCISSE & OIGNON

- › 2 gros oignons blancs
- › 2 cuill. à soupe d'huile d'olive vierge extra
- › 2 grosses saucisses italiennes
- › 2 petits pains longs, blancs ou complets
- › 4 à 6 cuill. à soupe de ketchup ou de sauce barbecue (voir la recette p. 10)

Pour 2 personnes • Préparation : 10 min • Cuisson : 10 à 20 min • Difficulté : 1

1. Préchauffez un appareil à croque-monsieur ou à panini à température moyenne.

2. Pelez les oignons, puis émincez-les. Mettez l'huile à chauffer dans une poêle sur feu moyen. Faites revenir les oignons pendant 5 minutes, puis réservez-les. Coupez les saucisses en deux dans le sens de la longueur, puis faites-les cuire dans la poêle de 5 à 10 minutes.

3. Ouvrez les pains en deux. Étalez sur leur base une couche d'oignons frits, puis ajoutez les demi-saucisses. Parsemez du reste d'oignons et ajoutez du ketchup. Couvrez avec le dessus des pains. Faites griller les paninis de 5 à 10 minutes et servez aussitôt.

Paninis SAUCISSON, OLIVES & AIL

> 2 gousses d'ail
> 2 grosses tomates mûres
> 100 g de saucisson
> 4 grosses olives noires dénoyautées
> 2 focaccias (pains plats italiens s'achetant dans les épiceries biologiques) d'environ 20 cm de côté
> 2 cuill. à soupe d'origan ou de persil plat haché
> 2 cuill. à soupe d'huile d'olive vierge extra
> Sel et poivre du moulin

Pour 2 personnes • Préparation : 10 min • Cuisson : 5 à 10 min • Difficulté : 1

1. **Préchauffez** un appareil à croque-monsieur ou à panini à température moyenne.

2. **Pelez** l'ail, puis émincez-le. Détaillez les tomates et le saucisson en tranches fines. Hachez les olives. Ouvrez les focaccias en deux, puis répartissez les tomates et le saucisson sur leur base. Ajoutez l'ail, les olives et l'origan. Arrosez d'un filet d'huile, puis assaisonnez. Couvrez avec le dessus des focaccias.

3. **Faites griller** les paninis de 5 à 10 minutes et servez.

Si vous manquez de temps, utilisez des aubergines et des poivrons grillés en conserve ou en bocal, soigneusement égouttés.

Paninis LÉGUMES GRILLÉS & PESTO

› 1 poivron rouge
› 1 petite aubergine
› 1 courgette
› 2 cuill. à soupe d'huile d'olive vierge extra
› 2 pains ciabatta, d'environ 8 x 20 cm
› 12 cl de pesto (voir la recette p. 42)
› 1 cuill. à soupe de menthe hachée
› Sel

Pour 2 personnes • Préparation : 15 min • Cuisson : 15 à 25 min • Difficulté : 1

1. Préchauffez un appareil à croque-monsieur ou à panini à température moyenne.

2. Épépinez le poivron, puis coupez-le en tranches. Détaillez l'aubergine en rondelles et tranchez la courgette dans le sens de la longueur. Mettez un gril à chauffer à feu moyen. Salez légèrement les tranches de légumes. Arrosez-les d'huile, puis faites-les griller de 10 à 15 minutes.

3. Ouvrez les pains en deux et tartinez leur base d'un peu de pesto. Couvrez-les de légumes grillés et de menthe. Ajoutez le reste du pesto, puis le dessus des pains.

4. Faites griller les paninis de 5 à 10 minutes et servez sans attendre.

Si cette recette vous plaît, vous aimerez aussi...

26
Paninis de CAPRI

94
Petits pains aux CHAMPIGNONS

94
Focaccias aux LÉGUMES GRILLÉS

Paninis DINDE, POIVRON & NOISETTES

> 4 à 6 morceaux de poivron rouge grillé en bocal
> 120 g de dinde rôtie
> 4 cuill. à soupe de noisettes grillées
> 2 cuill. à café de moutarde de Dijon
> 4 cuill. à soupe de mayonnaise (voir la recette p. 42)
> 4 tranches épaisses de pain de mie blanc ou complet
> Sel et poivre du moulin

Pour 2 personnes • Préparation : 10 min • Cuisson : 5 à 10 min • Difficulté : 1

1. Préchauffez un appareil à croque-monsieur ou à panini à température moyenne.

2. Égouttez le poivron. Détaillez la dinde en lamelles, puis hachez les noisettes. Dans un bol, incorporez la moutarde à la mayonnaise, puis tartinez 2 tranches de pain de ce mélange. Ajoutez les morceaux de dinde et de poivron. Parsemez de noisettes, puis assaisonnez. Couvrez avec les tranches de pain restantes.

3. Faites griller les paninis de 5 à 10 minutes et servez.

Paninis FROMAGE & BACON

- 1 petite gousse d'ail
- 120 g d'emmental
- 4 tranches épaisses de pain de seigle
- 2 ou 3 grandes tranches de bacon ou de pancetta sans couenne
- Poivre noir du moulin

Pour 2 personnes • Préparation : 10 min • Cuisson : 5 à 10 min • Difficulté : 1

1. Préchauffez un appareil à croque-monsieur ou à panini à température moyenne.

2. Pelez l'ail, puis hachez-le. Coupez le fromage en fines tranches et répartissez-les sur 2 tranches de pain avec le bacon. Parsemez d'ail et de poivre, puis couvrez avec les tranches de pain restantes.

3. Faites griller les paninis de 5 à 10 minutes et servez chaud.

Ce sandwich doit son nom à sa garniture, composée des ingrédients d'une célèbre salade originaire de Capri, splendide île située au large de Naples, dans le Sud de l'Italie. Pour un résultat optimal, utilisez une mozzarella au lait de bufflonne, une huile d'olive vierge extra de qualité supérieure et du basilic frais.

Paninis de CAPRI

> 150 g de mozzarella au lait de bufflonne
> 2 tomates
> 1 baguette ou un pain ciabatta long
> 1 cuill. à café d'origan séché
> Quelques feuilles de basilic
> 1 ou 2 cuill. à soupe d'huile d'olive vierge extra
> Sel et poivre du moulin

Pour 1 ou 2 personnes • Préparation : 10 min • Cuisson : 5 à 10 min • Difficulté : 1

1. **Préchauffez** un appareil à croque-monsieur ou à panini à température moyenne.

2. **Tranchez** la mozzarella et les tomates. Ouvrez la baguette en deux, puis couvrez sa base de mozzarella et de tomates. Parsemez d'origan et de basilic. Assaisonnez, puis arrosez d'un filet d'huile. Couvrez avec le dessus de la baguette et coupez le sandwich en deux.

3. **Faites griller** les paninis de 5 à 10 minutes et servez.

Si cette recette vous plaît, vous aimerez aussi...

Paninis **ROQUETTE, TOMATE & CHÈVRE**

Wraps **ÉPINARDS & PROVOLONE**

Baguette **TOMATES & ROQUETTE**

Si vous faites cuire un blanc de poulet spécialement
pour cette recette, reportez-vous aux instructions de la page 60
pour le pocher. Vous pouvez également garnir ces paninis
avec des tranches de poulet ou de dinde fumé.

28

Paninis POULET, FETA & PESTO

- 50 g d'olives à la grecque dénoyautées
- 2 tomates
- 150 g de feta
- 1 blanc de poulet cuit ou 250 g de poulet grillé ou rôti
- 2 focaccias (pains plats italiens s'achetant dans les épiceries biologiques) d'environ 20 cm de côté
- 12 cl de pesto (voir la recette p. 42)
- 1 poignée de pousses d'épinards
- 1 ou 2 cuill. à soupe d'huile d'olive vierge extra
- Sel et poivre du moulin

Pour 2 personnes • Préparation : 10 min • Cuisson : 5 à 10 min • Difficulté : 1

1. Préchauffez un appareil à croque-monsieur ou à panini à température moyenne.

2. Hachez les olives. Tranchez les tomates, la feta et le poulet. Ouvrez les focaccias en deux, puis tartinez leur base de pesto. Ajoutez les olives, les épinards, les tranches de tomate, la feta et le poulet. Assaisonnez, puis arrosez d'un filet d'huile. Couvrez avec le dessus des focaccias.

3. Faites griller les paninis de 5 à 10 minutes et servez chaud.

Si cette recette vous plaît, vous aimerez aussi...

Paninis POULET,
CÉLERI & PISTACHES

Paninis DINDE,
POIVRON & NOISETTES

Paninis
au POULET ÉPICÉ

Paninis TOMATES SÉCHÉES & FROMAGE

- › 50 g de fromage de chèvre crémeux (type Petit Billy)
- › 50 g de ricotta
- › 1 pincée d'origan séché
- › 4 à 6 tomates séchées à l'huile
- › 1 cuill. à soupe d'huile d'olive vierge extra
- › 4 grandes tranches de pain au levain
- › 50 g de pousses d'épinards
- › 60 g de parmesan en copeaux
- › Sel et poivre du moulin

Pour 2 personnes • Préparation : 10 min • Cuisson : 5 à 10 min • Difficulté : 1

1. Préchauffez un appareil à croque-monsieur ou à panini à température moyenne.

2. Mélangez dans un saladier le fromage de chèvre avec la ricotta et l'origan. Égouttez les tomates séchées, puis hachez-les grossièrement. Badigeonnez d'huile les tranches de pain. Posez 2 tranches sur le plan de travail, côté huilé dessous, puis tartinez-les de préparation au fromage. Ajoutez les épinards, les tomates séchées et le parmesan. Assaisonnez, puis couvrez avec les tranches de pain restantes.

3. Faites griller les paninis de 5 à 10 minutes et servez.

Paninis ROSBIF & OIGNONS

> 1 oignon rouge
> 5 cuill. à soupe de vinaigre balsamique
> 120 g de rosbif cuit
> 6 tomates cerises
> 2 pains ciabatta (pain italien rectangulaire, à l'huile d'olive)
> Quelques feuilles de basilic
> Sel et poivre du moulin

Pour 2 personnes • Préparation : 10 min • Marinade : 1h • Cuisson : 5 à 10 min • Difficulté : 1

1. Préchauffez un appareil à croque-monsieur ou à panini à température moyenne.

2. Pelez l'oignon, puis émincez-le. Mettez-le dans un bol. Assaisonnez-le et couvrez-le de vinaigre balsamique, puis laissez mariner pendant au moins 1 heure.

3. Tranchez le rosbif et les tomates. Ouvrez les pains en deux, puis couvrez leur base de viande, de tomates et de basilic. Égouttez l'oignon en réservant la marinade. Répartissez-le sur la base des sandwichs, puis arrosez de marinade. Couvrez avec le dessus des pains et faites griller les paninis de 5 à 10 minutes. Servez sans attendre.

Le pain au levain se distingue du pain à base de levure de boulanger par son goût légèrement acide et par sa mie plus compacte. Il se marie très bien avec le poulet et le piment, comme le prouve cette délicieuse recette.

Paninis au POULET ÉPICÉ

> 90 g de pancetta
> 1 blanc de poulet cuit de 150 g
> 1 piment rouge
> 4 tranches de pain au levain
> 12 cl de sauce César
> 150 g de cheddar ou de gruyère râpé
> 1 cuill. à soupe de coriandre hachée
> 30 g de beurre

Pour 2 personnes • Préparation : 10 min • Cuisson : 5 à 10 min • Difficulté : 1

1. Préchauffez un appareil à croque-monsieur ou à panini à température moyenne.

2. Coupez la pancetta en petits dés et le poulet en gros dés. Épépinez le piment, puis hachez-le. Dans une poêle antiadhésive, faites griller la pancetta à feu moyen jusqu'à ce qu'elle soit croustillante.

3. Tartinez les tranches de pain de sauce César. Répartissez les dés de poulet sur 2 d'entre elles, puis parsemez de fromage, de pancetta, de piment et de coriandre. Couvrez avec les tranches de pain restantes. Faites fondre le beurre dans une casserole, puis badigeonnez-en l'extérieur des sandwichs.

4. Faites griller les paninis de 5 à 10 minutes et servez.

Si cette recette vous plaît, vous aimerez aussi...

48
Wraps au POULET SUCRÉ-SALÉ

49
Wraps POULET & POIVRONS

62
Wraps POULET TANDOORI & YAOURT

Paninis POMMES RÔTIES & BRIE

> 2 pommes granny smith bio
> 120 g de brie
> 1 cuill. à soupe d'huile d'arachide
> 8 tranches de pain aux raisins secs et à la cannelle (ou 8 tranches de pain brioché)
> 4 cuill. à soupe de demi-cerneaux de noix de pécan

Pour 4 personnes • Préparation : 10 min • Cuisson : 20 à 25 min • Difficulté : 2

1. Préchauffez le four à 200 °C (therm. 6-7). Évidez les pommes, puis coupez-les en fines lamelles. Tranchez finement le brie. Huilez légèrement une plaque de cuisson. Répartissez les lamelles de pomme dessus, enfournez et laissez cuire de 15 à 20 minutes. Les pommes doivent être tendres et caramélisés dessous.

2. Préchauffez un appareil à croque-monsieur ou à panini à température moyenne. Posez 4 tranches de pain sur le plan de travail et répartissez le fromage dessus. Ajoutez les pommes, les noix, puis couvrez avec les tranches de pain restantes. Faites griller les paninis de 5 à 10 minutes et servez aussitôt.

Paninis FROMAGE & CHUTNEY DE TOMATES

- 8 tranches de pain au levain
- 120 g de chutney de tomates (voir la recette p. 42)
- 8 grandes tranches de cheddar vieux ou de gruyère
- Quelques feuilles de coriandre
- 60 g de beurre à température ambiante (facultatif)

Pour 4 personnes • Préparation : 10 min • Cuisson : 5 à 10 min • Difficulté : 1

1. Préchauffez un appareil à croque-monsieur ou à panini à température moyenne.

2. Tartinez 4 tranches de pain de chutney. Ajoutez 2 tranches de fromage, puis parsemez de coriandre. Couvrez avec les tranches de pain restantes. Si vous le souhaitez, beurrez l'extérieur des sandwichs.

3. Faites griller les paninis de 5 à 10 minutes et servez chaud.

Selon la légende, ces sandwichs – appelés paninis Reuben –
ont été inventés à New York dans les années 1920 par Reuben
Arnold, propriétaire d'un célèbre restaurant. Le restaurant
n'existe plus, mais la recette est restée.

Paninis CHOU & FROMAGE

> 60 g de beurre
> 8 tranches de pain de seigle
> 400 g de chou de choucroute cuit
> 8 tranches d'emmental
> 4 tranches de jambon blanc sans couenne

Pour la sauce
> 1 gousse d'ail
> 25 cl de yaourt
> 4 cuill. à soupe de concentré de tomate
> 1/2 cuill. à café de moutarde
> 1 cuill. à café de paprika
> 2 cuill. à café de Worcestershire sauce
> 1/2 cuill. à café de sel
> 1 pincée de cassonade

Pour 4 personnes • Préparation : 50 min • Cuisson : 5 à 10 min •
Difficulté : 1

1. Préchauffez un appareil à croque-monsieur
   ou à panini à température moyenne.

2. Préparez la sauce. Pelez l'ail, puis hachez-le.
   Réunissez tous les ingrédients dans un bol
   et mélangez soigneusement le tout.

3. Faites fondre le beurre dans une casserole,
   puis badigeonnez-en les tranches de pain.
   Égouttez le chou. Posez 4 tranches de pain
   sur le plan de travail, côté beurré dessous,
   puis tartinez-les de sauce. Ajoutez l'emmental,
   le chou et le jambon. Couvrez avec les tranches
   de pain restantes, côté beurré dessus.

4. Faites griller les paninis de 5 à 10 minutes et servez.

Si cette recette vous plaît, vous aimerez aussi...

Paninis FROMAGE
& BACON

Paninis ROSBIF
& OIGNONS

Paninis CHAMPIGNONS,
BACON & PESTO

Paninis CHAMPIGNONS & MOZZARELLA

> 4 à 6 champignons de Paris
> 2 cuill. à soupe d'huile d'olive vierge extra
> 250 g de mozzarella
> 1 baguette
> 12 cl de tapenade aux olives vertes (voir la recette p. 10)
> 50 g de cresson
> Sel

Pour 2 personnes • Préparation : 10 min • Cuisson : 15 à 20 min • Difficulté : 1

1. Préchauffez le four à 225 °C (therm. 7-8). Coupez le pied des champignons, jetez-les et disposez les chapeaux dans un plat à rôtir. Salez-les, arrosez-les d'huile, puis enfournez pour 10 minutes.

2. Préchauffez un appareil à croque-monsieur ou à panini à température moyenne.

3. Tranchez la mozzarella. Coupez la baguette en deux dans le sens de la largeur, puis ouvrez chaque moitié en deux. Tartinez la base de tapenade. Ajoutez la mozzarella, les champignons, puis le cresson. Couvrez avec le dessus de la baguette. Coupez les paninis en deux, faites griller de 5 à 10 minutes et servez.

Paninis CHAMPIGNONS, BACON & PESTO

- 40 g de beurre
- 8 tranches de pain de mie blanc, complet ou au maïs
- 75 g de pesto (voir la recette p. 42)
- 150 g champignons de Paris
- 250 g de mozzarella
- 2 tomates
- 12 cl de sauce César
- 12 tranches de bacon cuit
- 1 pincée de poivre moulu
- 8 grandes feuilles de basilic

Pour 4 personnes • Préparation : 15 min • Cuisson : 5 à 10 min • Difficulté : 1

1. Préchauffez un appareil à croque-monsieur ou à panini à température moyenne.

2. Faites fondre le beurre dans une casserole et badigeonnez-en les tranches de pain. Posez 4 tranches sur le plan de travail, côté beurré dessous. Tartinez-les de pesto et réservez-les.

3. Émincez les champignons, puis détaillez la mozzarella en lamelles. Tranchez les tomates. Tartinez les 4 tranches de pain restantes de sauce César et répartissez la mozzarella dessus. Ajoutez le bacon, les champignons et les tomates. Poivrez, puis parsemez de basilic. Couvrez avec les tranches de pain tartinées de pesto, pesto dessous.

4. Faites griller les paninis de 5 à 10 minutes et servez.

Les oignons confits ont une saveur épicée et sucrée qui se marie à merveille avec le fromage et le pain. Vous pouvez en acheter dans la plupart des supermarchés ou les préparer en suivant la recette de la page 42. En plus de cette recette, vous pouvez les ajouter à d'autres paninis présentés dans ce livre, comme ceux aux pommes rôties et au brie de la page 34, ou les employer à la place du chutney des paninis au fromage et au chutney de tomates de la page 35.

40

Paninis FROMAGE & OIGNONS CONFITS

> 60 g de beurre
> 8 tranches de pain complet ou aux noix
> 150 g de brie ou de camembert
> 75 g d'oignons confits (voir la recette p. 42)

Pour 4 personnes • Préparation : 10 min • Cuisson : 5 à 10 min • Difficulté : 1

1. **Préchauffez** un appareil à croque-monsieur ou à panini à température moyenne.

2. **Faites fondre** le beurre dans une casserole. Badigeonnez-en les tranches de pain.

3. **Détaillez** le fromage en fines lamelles. Posez 4 tranches de pain sur le plan de travail, côté beurré dessous. Couvrez-les d'oignons confits, puis de fromage. Ajoutez les tranches de pain restantes, côté beurré dessus.

4. **Faites griller** les paninis de 5 à 10 minutes et servez chaud.

Si cette recette vous plaît, vous aimerez aussi...

Paninis FIGUES, PANCETTA & CHÈVRE

Paninis FROMAGE, CUMIN & RAISINS SECS

Paninis POMMES RÔTIES & BRIE

PESTO

Pour 50 cl • Préparation : 10 min • Difficulté : 1

> 2 gousses d'ail
> 90 g de pignons de pin grillés
> 60 g de parmesan râpé
> 25 cl d'huile d'olive vierge extra
> 250 g de feuilles de basilic
> Sel et poivre du moulin

1. Pelez l'ail et hachez-le. Mettez-le dans le bol d'un robot avec les pignons de pin, puis mixez grossièrement le tout.

2. Incorporez le parmesan et la moitié de l'huile à la préparation. Ajoutez le basilic, puis mixez de nouveau, en arrêtant régulièrement l'appareil pour racler les bords.

3. Versez le reste de l'huile en filet dans le bol du robot et mixez jusqu'à obtention d'une pâte homogène. Assaisonnez.

4. Servez aussitôt ou transvasez dans un récipient hermétique. Ce pesto peut se conserver 4 ou 5 jours au réfrigérateur dans un récipient hermétique.

MAYONNAISE

Pour 40 cl • Préparation : 15 min • Difficulté : 1

> Le jaune de 2 gros œufs
> 2 cuill. à café de moutarde de Dijon
> 1 cuill. à soupe de jus de citron
> 1 cuill. à soupe de vinaigre de vin blanc
> 25 cl d'huile d'olive vierge extra
> Poivre blanc moulu
> Sel

1. Réunissez dans un saladier les jaunes d'œufs, la moutarde, le jus de citron et le vinaigre.

2. Fouettez le tout, puis incorporez lentement 3 cuillerées à soupe d'huile à la préparation sans cesser de remuer.

3. Ajoutez le reste de l'huile en filet sans cesser de fouetter jusqu'à obtention d'une mayonnaise épaisse. Salez et poivrez.

4. Gardez cette mayonnaise jusqu'à 3 jours au réfrigérateur dans une boîte hermétique.

OIGNONS CONFITS

Pour 720 g • Préparation : 10 min • Repos : 12 h •
Cuisson : 60 à 75 min • Difficulté : 1

> 1 kg d'oignons blancs
> 3 cuill. à soupe d'huile d'olive vierge extra
> 3 baies de genièvre
> 200 g de sucre roux
> 18 cl de vinaigre de malt
> 2 cuill. à soupe de moutarde à l'ancienne
> 1 cuill. à café de zeste d'orange râpé

1. Pelez les oignons, puis émincez-les. Mettez l'huile à chauffer dans une casserole à fond épais sur feu doux. Ajoutez les oignons, remuez, puis laissez mijoter de 30 à 45 minutes en remuant régulièrement.

2. Écrasez légèrement les baies de genièvre. Réunissez tous les ingrédients dans la casserole et mélangez l'ensemble délicatement.

3. Portez à ébullition, puis laissez mijoter 30 minutes en remuant de temps en temps.

4. Transvasez la préparation dans des bocaux en verre stérilisés, puis fermez ces derniers hermétiquement. Laissez refroidir pendant au moins 12 heures avant de servir. Ces oignons confits peuvent se conserver jusqu'à 2 mois au réfrigérateur.

Chutney de TOMATES

Pour 1,25 l • Préparation : 30 min • Repos : 12 h •
Cuisson : 1 h 45 • Difficulté : 1

> 3 pommes vertes
> 3 oignons
> 2 kg de tomates vertes
> 40 cl de vinaigre de cidre
> 300 g de sucre en poudre
> 4 petits piments rouges séchés
> 50 g de raisins secs
> 3 feuilles de laurier
> 2 cuill. à café de sel
> 2 cuill. à café de graines de moutarde noire
> 1 cuill. à café de poivre noir en grains
> 1 cuill. à café de clous de girofle

1. Pelez les pommes et les oignons. Évidez les pommes, puis hachez-les avec les tomates et les oignons. Dans une casserole, mélangez ces ingrédients avec le vinaigre et le sucre. Laissez mijoter jusqu'à ce que le sucre soit dissous. Hachez les piments, puis incorporez-les à la préparation avec les raisins, le laurier, le sel et la moutarde.

2. Mettez le poivre et les clous de girofle dans un sachet de mousseline et plongez-le dans la casserole. Laissez mijoter 1 h 30 en remuant régulièrement. Transvasez le chutney dans des bocaux en verre stérilisés, puis fermez-les. Laissez reposer au moins 12 heures avant de servir. Ce chutney peut se garder au frais jusqu'à 2 mois.

Paninis BANANE & ÉPICES

> 60 g de sucre roux
> 1/2 cuill. à café de cannelle en poudre
> 1/2 cuill. à café de gingembre en poudre
> 1 pincée de noix de muscade
> 1 pincée de clous de girofle en poudre
> 30 g de beurre
> 4 tranches de pain de mie blanc ou complet
> 1 petite banane
> 2 ou 3 cuill. à soupe d'amandes effilées

Pour 2 personnes • Préparation : 10 min • Cuisson : 5 à 10 min • Difficulté : 1

1. Préchauffez un appareil à croque-monsieur ou à panini à température moyenne

2. Mélangez dans un petit saladier le sucre avec la cannelle, le gingembre, la noix de muscade et les clous de girofle.

3. Faites fondre le beurre dans une casserole, puis badigeonnez-en les tranches de pain. Coupez la banane en rondelles et répartissez-les sur 2 tranches de pain. Ajoutez les amandes et le mélange de sucre et d'épices. Couvrez avec les tranches de pain restantes. Ôtez la croûte du pain et jetez-la.

4. Faites griller les paninis de 5 à 10 minutes, puis coupez-les en triangles et servez chaud.

Paninis CHOCOLAT & AMANDES

> 4 tranches de pain de mie blanc
> 120 g de pâte à tartiner au chocolat
> 2 cuill. à soupe d'amandes effilées

Pour 2 personnes • Préparation : 10 min • Cuisson : 5 à 10 min • Difficulté : 1

1. **Préchauffez** un appareil à croque-monsieur ou à panini à température moyenne.

2. **Étalez** la pâte à tartiner sur 2 tranches de pain, puis parsemez-les d'amandes. Couvrez avec les tranches de pain restantes et ôtez la croûte du pain.

3. **Faites griller** les paninis de 5 à 10 minutes, puis coupez-les en triangles et servez sans attendre.

Wraps

Wraps BACON, SALADE & TOMATE

- 4 grandes tortillas de blé
- 8 tranches de bacon sans couenne
- 1 avocat
- 2 tomates
- 2 ciboules
- 100 g de salades mélangées
- 125 g de mayonnaise (voir la recette p. 42)
- 1 cuill. à soupe de moutarde de Dijon
- 90 g de fromage frais

Pour 4 personnes • Préparation : 20 min • Cuisson : 5 min • Difficulté : 1

1. **Enveloppez** chaque tortilla dans 2 feuilles de papier absorbant légèrement humides et passez-les au four à micro-ondes réglé à puissance maximale pendant 45 secondes. Vous pouvez aussi réchauffer les tortillas dans une poêle à sec sur feu moyen.

2. **Mettez** une grande poêle à chauffer à feu moyen. Faites griller le bacon pendant 5 minutes, puis émiettez-le dans un saladier.

3. **Pelez** l'avocat et retirez son noyau. Coupez les tomates en deux, puis épépinez-les. Détaillez les tomates et l'avocat en petits morceaux, puis émincez les ciboules. Ajoutez ces ingrédients dans le saladier avec les salades mélangées. Dans un bol, mélangez la mayonnaise avec la moutarde. Incorporez le tout à la préparation.

4. **Tartinez** les tortillas chaudes de fromage frais, puis ajoutez la garniture. Roulez les tortillas et servez aussitôt.

Si cette recette vous plaît, vous aimerez aussi...

Wraps POULET & POIVRONS

Wraps FROMAGE, SAUCISSON & ROQUETTE

Wraps DINDE & AVOCAT

Wraps au POULET SUCRÉ-SALÉ

› 4 pains plats libanais,
  pains pitas ou tortillas de blé
› 400 g de poulet cuit
› 100 g de laitue
› 1 concombre
› 2 tomates
› 1 grosse carotte
› 12,5 cl de mayonnaise
  (voir la recette p. 42)
› 2 cuill. à soupe de sauce au piment
  doux (voir la recette p. 10)
› Sel et poivre du moulin

Pour 4 personnes • Préparation : 10 min • Cuisson : 5 à 10 min •
Difficulté : 1

1. Enveloppez chaque pain dans 2 feuilles de papier
   absorbant légèrement humides et passez-les au four
   à micro-ondes réglé sur puissance maximale pendant
   45 secondes.

2. Détaillez le poulet et la laitue en lamelles, puis tranchez
   finement le concombre. Coupez les tomates en petits
   morceaux et râpez la carotte.

3. Mélangez dans un saladier le poulet avec la mayonnaise
   et la sauce au piment. Étalez les pains sur le plan de travail.
   Répartissez dessus la préparation à base de poulet,
   le concombre, les tomates, la carotte et la laitue. Salez,
   poivrez, puis roulez les pains. Coupez-les en deux
   et servez-les.

Wraps POULET & POIVRONS

> 600 g de poulet sans la peau
> 3 cuill. à soupe d'huile d'olive vierge extra
> 1 poivron rouge
> 1 poivron vert
> 1 gros oignon
> 8 tortillas de blé
> 25 cl de guacamole (voir la recette p. 52)
> 125 g de crème aigre (ou crème fraîche additionnée de quelques gouttes de jus de citron)

Pour le mélange d'épices
> 2 cuill. à café d'origan séché
> 1 cuill. à café de paprika doux
> 1 cuill. à café de cumin en poudre
> 1 cuill. à café d'oignon en poudre
> 1 cuill. à café d'ail en poudre
> 1 cuill. à café de sel
> 1/2 cuill. à café de piment en poudre

Pour 4 à 8 personnes • Préparation : 10 min • Réfrigération : 12h • Cuisson : 10 à 15 min • Difficulté : 2

1. Préparez le mélange d'épices. Dans un bol, mélangez toutes les épices. Ajoutez le poulet et l'huile au mélange d'épices. Remuez, couvrez, puis réservez au moins 12 heures au réfrigérateur.

2. Préchauffez le gril du four et faites griller les poivrons jusqu'à ce que leur peau soit noire. Mettez-les dans un plat, couvrez de film alimentaire et réservez 10 minutes. Pendant ce temps, pelez l'oignon, puis émincez-le. Huilez la grille du four et faites revenir l'oignon quelques minutes. Faites griller le poulet 5 minutes, puis coupez-le en fines tranches. Pelez les poivrons et détaillez-les en lamelles.

3. Enveloppez chaque tortilla dans 2 feuilles de papier absorbant légèrement humides et passez-les au four à micro-ondes réglé à puissance maximale pendant 45 secondes. Tartinez les tortillas de guacamole, puis ajoutez les poivrons, la crème aigre et le poulet. Roulez les tortillas et servez.

Les wraps sont des sandwichs préparés en enroulant des tortillas de blé ou des pains plats, comme les pains pitas, *lavash* ou naan, autour d'une garniture. Ils ressemblent aux tacos et aux burritos, grands classiques de la cuisine mexicaine. Beaucoup de wraps présentés dans ce livre, y compris celui qui suit, contiennent du guacamole, purée d'avocat d'origine mexicaine agrémentée de sel, de piment, d'ail et de jus de citron vert.

Wraps CREVETTES & GUACAMOLE

> 2 grandes tortillas de blé
> 2 tranches d'ananas
> 8 crevettes décortiquées
> 120 g de guacamole (voir la recette p. 52)
> 2 cuill. à soupe de coriandre hachée
> Sel et poivre du moulin

Pour 2 personnes • Préparation : 10 min • Cuisson : 3 à 5 min • Difficulté : 1

1. Enveloppez chaque tortilla dans 2 feuilles de papier absorbant légèrement humides et passez-les au four à micro-ondes réglé à puissance maximale pendant 45 secondes. Vous pouvez aussi réchauffer les tortillas dans une poêle à sec sur feu moyen.

2. Hachez grossièrement l'ananas. Mettez à chauffer un gril sur feu vif, puis faites griller les crevettes et l'ananas de 3 à 5 minutes en les retournant régulièrement.

3. Tartinez les tortillas de guacamole. Ajoutez le mélange de crevettes et d'ananas, puis parsemez de coriandre.

4. Salez et poivrez. Roulez les tortillas et servez chaud.

Si cette recette vous plaît, vous aimerez aussi...

Wraps SAUMON & FROMAGE FRAIS

Wraps THON & OLIVES

Sandwichs CREVETTES & AVOCAT

GUACAMOLE

Pour 50 cl • Préparation : 10 à 15 min • Difficulté : 1

> 2 avocats
> 1 gousse d'ail
> 2 cuill. à soupe de jus de citron vert
> 2 ciboules

> 1/2 piment vert
> 1 filet de Tabasco
> Sel et poivre du moulin

1. Coupez les avocats en deux et jetez leur noyau, puis prélevez la chair d'un des avocats à l'aide d'une petite cuillère. Pelez l'ail, et hachez-le. Réunissez ces ingrédients dans le bol d'un robot avec le jus de citron.

2. Mixez jusqu'à obtention d'un mélange homogène, puis transférez-le dans un saladier.

3. Émincez les ciboules. Épépinez le demi-piment et hachez-le finement. Ôtez la peau du second avocat, puis coupez la chair en dés. Incorporez ces ingrédients à la préparation.

4. Assaisonnez, puis ajoutez le Tabasco et remuez le tout. Servez aussitôt ou consommez le jour même.

HOUMOUS

Pour 75 cl • Préparation : 15 min • Réfrigération : 12 h • Cuisson : 1 h • Difficulté : 1

> 200 g de pois chiches secs
> 3 gousses d'ail
> 6 cuill. à soupe d'huile d'olive vierge extra
> 4 cuill. à soupe de jus de citron

> 3 cuill. à soupe de *tahini* (pâte de sésame)
> 3 cuill. à café de cumin en poudre
> Sel

1. La veille, mettez les pois chiches à tremper dans un saladier d'eau froide.

2. Le jour même, égouttez-les, rincez-les, puis mettez-les dans une casserole. Couvrez-les d'eau froide et portez à ébullition. Laissez mijoter 1 heure, puis égouttez en réservant 12,5 cl d'eau de cuisson.

3. Pelez l'ail et hachez-le. Mettez-le dans le bol d'un robot avec les pois chiches, l'huile, le jus de citron, le *tahini* et le cumin, puis mixez le tout. Versez lentement l'eau de cuisson réservée dans le bol du robot et mixez jusqu'à obtention d'un mélange homogène. Salez, puis servez immédiatement. Ce houmous peut se conserver jusqu'à 5 jours au réfrigérateur dans une boîte hermétique.

Salsa d'ANANAS

Pour 600 g • Préparation : 15 min • Difficulté : 1

> 1/2 ananas
> 2 piments rouges
> 2 cuill. à soupe de cacahuètes grillées
> 15 g de coriandre hachée

Pour la sauce
> 2 cuill. à soupe de jus de citron vert

> 1 cuill. à soupe de sauce nam pla (à base de poisson)
> 10 g de sucre de palme râpé ou de sucre roux
> 1 cuill. à café de gingembre râpé
> 1 cuill. à café d'huile de sésame

1. Pelez le demi-ananas, évidez-le, puis coupez-le en dés de 1,5 cm de côté. Épépinez les piments et hachez-les finement avec les cacahuètes. Dans un saladier, mélangez ces ingrédients avec la coriandre.

2. Préparez la sauce. Dans un bol, réunissez les autres ingrédients et remuez jusqu'à ce que le sucre soit dissous, puis incorporez la sauce à la préparation à base d'ananas.

3. Servez immédiatement. Cette salsa peut se garder jusqu'à 3 jours au réfrigérateur dans une boîte hermétique.

Salsa de MANGUES

Pour 600 g • Préparation : 15 min • Difficulté : 1

> 2 mangues mûres
> 2 ciboules
> 25 g de feuilles de menthe

Pour la sauce
> Le jus de 2 citrons verts

> 1 cuill. à soupe de rhum blanc
> 1 cuill. à café de sucre en poudre
> Poivre du moulin

1. Pelez les mangues, puis coupez la chair en dés de 1,5 cm de côté.

2. Émincez les ciboules et mettez-les dans un grand saladier avec les dés de mangue et la menthe. Mélangez le tout.

3. Préparez la sauce. Dans un bol, réunissez le jus de citron, le rhum et le sucre. Remuez jusqu'à ce que le sucre soit dissous, puis versez le tout sur la préparation à base de mangue. Mélangez bien et poivrez.

4. Servez aussitôt. Cette salsa peut se conserver jusqu'à 3 jours au réfrigérateur dans une boîte hermétique.

Wraps FROMAGE, SAUCISSON & ROQUETTE

> 2 pains *piadinas* (pains plats italiens) ou 4 grandes tortillas de blé
> 60 g de saucisson sec
> 120 g de fromage frais
> 1 poignée de roquette
> 2 cuill. à soupe d'huile d'olive vierge extra
> Sel et poivre du moulin

Pour 2 personnes • Préparation : 10 min • Cuisson : 5 min • Difficulté : 1

1. Enveloppez chaque pain dans 2 feuilles de papier absorbant légèrement humides et passez-les au four à micro-ondes réglé à puissance maximale pendant 45 secondes.

2. Tranchez finement le saucisson. Tartinez les pains de fromage frais, puis ajoutez le saucisson et la roquette. Assaisonnez et arrosez d'un filet d'huile. Roulez les pains et servez-les sans attendre.

Wraps ÉPINARDS & PROVOLONE

> 4 grandes tortillas de blé
> 18 cl de crème aigre (ou crème fraîche additionnée de quelques gouttes de jus de citron)
> 4 cuill. à soupe de pesto (voir la recette p. 42)
> 1 grosse tomate
> 4 grandes tranches de provolone
> 50 g de feuilles d'épinards
> Poivre noir du moulin

Pour 4 personnes • Préparation : 10 min • Cuisson : 5 min • Difficulté : 1

1. Enveloppez chaque tortilla dans 2 feuilles de papier absorbant légèrement humides et passez-les au four à micro-ondes réglé à puissance maximale pendant 45 secondes.

2. Mélangez dans un bol la crème aigre avec le pesto, puis étalez cette préparation sur les tortillas. Tranchez finement la tomate et coupez les tranches de provolone en deux. Ajoutez les épinards, les tranches de tomate et le fromage sur les tortillas. Poivrez. Roulez les tortillas et servez chaud.

La sauce « ranch » est une mayonnaise à l'ail américaine
mise au point dans un ranch en Californie dans les années 1950
et commercialisée à grande échelle à partir de 1972.

56

Wraps DINDE & AVOCAT

- › 12 tranches de bacon sans couenne
- › 4 grandes tortillas de blé
- › 1 avocat
- › 50 g de pousses de salades vertes
- › 350 g de blanc de dinde rôtie
- › 1 tomate
- › 2 cuill. à café de jus de citron vert
- › 50 g de cresson
- › Sel et poivre du moulin

Pour la sauce ranch
- › 2 gousses d'ail
- › 1/2 cuill. à café de sel
- › 1 ciboule
- › 25 cl de mayonnaise (voir la recette p. 42)
- › 4 cuill. à soupe de babeurre ou de crème aigre (ou crème fraîche additionnée de quelques gouttes de jus de citron)
- › 2 cuill. à soupe de persil plat haché
- › 2 cuill. à soupe de ciboulette hachée
- › 1 cuill. à café de vinaigre de vin blanc

Pour 4 personnes • Préparation : 20 min • Cuisson : 5 min • Difficulté : 1

1. Préparez la sauce ranch. Pilez l'ail avec le sel dans un mortier. Émincez la ciboule. Dans un saladier, réunissez ces ingrédients avec la mayonnaise, le babeurre, le persil, la ciboulette, le vinaigre et du poivre, puis fouettez le tout. Utilisez aussitôt ou couvrez et conservez au réfrigérateur jusqu'à 3 jours.

2. Mettez une poêle antiadhésive à chauffer sur feu moyen, puis faites griller le bacon de 3 à 5 minutes. Égouttez-le sur du papier absorbant. Enveloppez chaque tortilla dans 2 feuilles de papier absorbant légèrement humides et passez-les au four à micro-ondes réglé à puissance maximale pendant 45 secondes.

3. Coupez l'avocat en deux, puis retirez le noyau et la peau. Couvrez les tortillas de salade verte. Détaillez la chair de l'avocat, la dinde et la tomate en fines lamelles, puis répartissez-les sur la salade. Arrosez de jus de citron et assaisonnez. Parsemez de cresson, puis nappez de sauce ranch. Roulez les tortillas et servez.

Si cette recette vous plaît, vous aimerez aussi…

Paninis DINDE, POIVRON
& NOISETTES

Wraps DINDE, BLEU
& CRANBERRIES

Bagels
à la DINDE

Wraps à la GRECQUE

> 1 oignon rouge
> 400 g de pois chiches en conserve
> 1 petit poivron vert
> 2 tomates
> 150 g de blanc de poulet cuit
> 120 g de feta
> 12 cl de mayonnaise (voir la recette p. 42)
> 1 cuill. à soupe de jus de citron
> 6 pains pitas
> 6 grandes feuilles de laitue croquante
> 200 g de tzatziki (voir la recette p. 88)

Pour servir
> 1 poignée de feuilles de persil plat

Pour 6 personnes • Préparation : 15 min • Cuisson : 5 à 10 min • Difficulté : 1

1. Pelez l'oignon et hachez-le. Égouttez les pois chiches, puis rincez-les. Épépinez le poivron et coupez-le en petits morceaux avec les tomates. Émincez le poulet, puis émiettez la feta. Dans un saladier, mélangez la mayonnaise avec le jus de citron, l'oignon et les pois chiches. Incorporez le poulet, la feta, le poivron et les tomates à la préparation.

2. Enveloppez les pains pitas dans des feuilles de papier absorbant légèrement humides et passez-les au four à micro-ondes réglé à puissance maximale pendant 1 minute. Placez 1 feuille de laitue sur chaque pain. Garnissez les feuilles de salade de la préparation, puis nappez de tzatziki et parsemez de persil. Roulez les pains pitas et servez.

Wraps BETTES & FROMAGE

> 1 gros oignon
> 3 gousses d'ail
> 1 botte de bettes
> 2 cuill. à soupe d'huile d'olive vierge extra
> 1 cuill. à soupe de piment en poudre
> 12,5 cl de bouillon de volaille
> 8 petites tortillas de maïs
> 150 g de ricotta
> 200 g de salsa de tomates (voir la recette p. 88)
> Sel

Pour 4 personnes • Préparation : 15 min • Cuisson : 15 à 20 min • Difficulté : 1

1. Pelez l'oignon et l'ail, puis hachez le tout. Éliminez les tiges des bettes et hachez les feuilles. Mettez l'huile à chauffer dans une poêle à feu moyen. Faites revenir l'oignon 4 minutes dans l'huile. Ajoutez l'ail et le piment en poudre, puis prolongez la cuisson de 1 minute en remuant. Incorporez le bouillon de volaille et les bettes à la préparation. Salez, puis laissez mijoter 5 minutes à couvert. Prolongez la cuisson de 5 minutes à découvert. Ôtez du feu, puis réservez.

2. Enveloppez chaque tortilla dans 2 feuilles de papier absorbant légèrement humides et passez-les au four à micro-ondes réglé à puissance maximale pendant 45 secondes. Répartissez la préparation sur les tortillas. Émiettez la ricotta au-dessus, puis ajoutez la salsa de tomates. Roulez les tortillas, puis servez.

Cette recette est idéale pour un déjeuner sain et léger.
Si vous en avez, utilisez un reste de poulet ou de dinde rôtis.

Wraps POULET & BLEU

- › 8 tranches de bacon
  sans couenne
- › 4 grandes tortillas de blé
- › 150 g de bleu à température
  ambiante
- › 1 avocat
- › 12,5 cl de mayonnaise
  (voir la recette p. 42)
- › Quelques feuilles de salade
  romaine croquante

Pour les blancs de poulet pochés
- › 2 blancs de poulet sans la peau
- › 1 gros oignon
- › 2 carottes
- › 2 feuilles de laurier
- › 1 cuill. à café de poivre noir
  en grains
- › 2 cuill. à soupe de vinaigre de vin
  blanc
- › Sel

Pour 4 personnes • Préparation : 20 min • Cuisson : 20 à 25 min •
Difficulté : 1

1. Préparez les blancs de poulet pochés. Mettez le poulet
   dans une casserole et couvrez-le d'eau. Pelez l'oignon
   et les carottes, puis hachez le tout. Ajoutez-les dans
   la casserole avec le laurier, le poivre et le vinaigre.
   Portez à ébullition. Salez, puis prolongez la cuisson
   de 15 minutes à couvert. Égouttez et jetez les légumes.

2. Mettez une poêle à chauffer à feu moyen. Faites griller
   le bacon de 4 minutes, puis égouttez-le sur du papier
   absorbant. Enveloppez chaque tortilla dans 2 feuilles
   de papier absorbant légèrement humides et passez-les
   au four à micro-ondes réglé à puissance maximale
   pendant 45 secondes.

3. Émiettez le fromage. Coupez l'avocat en deux,
   puis ôtez la peau et le noyau. Détaillez les blancs de poulet
   et la chair de l'avocat en fines lamelles. Tartinez les tortillas
   de mayonnaise. Ajoutez la salade romaine, le bacon, le bleu,
   le poulet, puis l'avocat. Roulez les tortillas et servez.

Si cette recette vous plaît, vous aimerez aussi...

Paninis POULET,
CÉLERI & PISTACHES

Wraps POULET,
CHOU & PAPAYE

Wraps PIMENT,
POULET & CAROTTE

Wraps POULET TANDOORI & YAOURT

› 2 cuill. à soupe de pâte de curry
  tandoori
› 250 g de yaourt entier
› 8 blancs de poulet
  (environ 500 g)
› 2 cuill. à soupe de menthe hachée
› 4 chapatis (pains indiens)
  ou grandes tortillas de blé
› 50 g de pousses d'épinards

Pour 2 personnes • Préparation : 15 min • Réfrigération : 30 min •
Cuisson : 5 à 10 min • Difficulté : 1

1. Mélangez dans un saladier la pâte de curry avec la moitié
   du yaourt. Ajoutez le poulet, puis remuez avec soin.
   Couvrez et réservez 30 minutes au réfrigérateur.

2. Allumez un barbecue, puis faites griller les blancs de poulet
   de 3 à 5 minutes de chaque côté.

3. Incorporez dans un autre saladier la menthe au reste
   du yaourt. Enveloppez chaque chapati dans 2 feuilles
   de papier absorbant légèrement humides et passez-les
   au four à micro-ondes réglé à puissance maximale
   pendant 45 secondes. Répartissez les épinards, le poulet
   et le yaourt à la menthe au centre des chapatis. Roulez
   les pains et servez.

Wraps POULET, CHOU & PAPAYE

- 250 g de blancs de poulet poché (voir la recette p. 60)
- 1/4 de chou rouge
- 1/4 de chou vert
- 4 ciboules
- 25 g de coriandre
- 2 cuill. à soupe de sauce *habanero* (ou sauce chili épicée)
- Le jus de 1 orange
- Le jus de 1 citron vert
- 2 cuill. à soupe d'huile de sésame
- 4 grandes tortillas de blé
- 1 papaye mûre

Pour 4 personnes • Préparation : 15 min • Cuisson : 15 à 20 min • Difficulté : 1

1. Coupez les blancs de poulet en julienne, puis émincez les quarts de chou et les ciboules. Hachez la coriandre. Dans un saladier, mélangez les choux avec les ciboules et la coriandre. Incorporez la sauce *habanero*, le jus d'orange, le jus de citron vert et l'huile de sésame à la préparation. Ajoutez le poulet, puis mélangez le tout.

2. Enveloppez chaque tortilla dans 2 feuilles de papier absorbant légèrement humides et passez-les au four à micro-ondes réglé à puissance maximale pendant 45 secondes.

3. Pelez la papaye, puis tranchez-la. Répartissez la préparation sur les tortillas, ajoutez les tranches de papaye, roulez les tortillas et servez.

Cette recette est parfaite pour agrémenter un buffet.
Réservez les wraps au frais pendant 1 heure afin
qu'ils soient assez fermes pour être tranchés.
Sortez-les du réfrigérateur et coupez-les en tronçons
10 minutes avant de les servir.

Wraps SAUMON & FROMAGE FRAIS

- 25 g de ciboulette, aneth et ciboules
- 250 g de fromage frais à température ambiante
- 1 concombre
- 8 grandes tortillas de blé
- 250 g de tranches de saumon fumé

Pour servir
- Fines herbes hachées (ciboulette, aneth et ciboules)

Pour 8 personnes • Préparation : 20 min • Réfrigération : 1h •
Difficulté : 1

1. Hachez les fines herbes et les ciboules. Mettez-les dans un saladier avec le fromage frais. Remuez, puis réservez. Tranchez finement le concombre dans le sens de la longueur.

2. Enveloppez chaque tortilla dans 2 feuilles de papier absorbant légèrement humides et passez-les au four à micro-ondes réglé à puissance maximale pendant 45 secondes.

3. Tartinez les tortillas de fromage aux fines herbes. Ajoutez une couche de concombre, puis de saumon et roulez les tortillas. Placez les wraps dans un plat, jointure dessous. Couvrez de film alimentaire et réservez 1 heure au réfrigérateur.

4. Dix minutes avant de servir, sortez les wraps du réfrigérateur. Coupez-les en rondelles de 5 cm et jetez leurs extrémités. Disposez les wraps sur un plat de service, puis parsemez de fines herbes hachées et servez.

Si cette recette vous plaît, vous aimerez aussi...

105

Sandwichs SAUMON
& MASCARPONE

106

Roulés ROBIOLA
& SAUMON FUMÉ

119

Sandwichs SAUMON
& CONCOMBRE

Wraps SAUCISSE & TABOULÉ

> 1 cuill. à soupe d'huile d'olive vierge extra
> 6 saucisses épicées (type *pepperoni*)
> 4 pains plats libanais, pains pitas ou tortillas de blé
> 150 g de houmous (voir la recette p. 52)

Pour le taboulé

> 90 g de boulghour
> 50 g de persil
> 1 grosse tomate
> 1/2 oignon rouge
> 2 cuill. à soupe de menthe hachée
> 1 cuill. à soupe d'huile d'olive vierge extra
> 4 cuill. à soupe de jus de citron
> Sel et poivre du moulin

Pour 4 personnes • Préparation : 40 min • Cuisson : 15 min • Difficulté : 1

1. Préparez le taboulé. Mettez le boulghour dans un saladier. Couvrez-le d'eau froide et laissez reposer 30 minutes. Égrenez le boulghour avec une fourchette. Hachez finement le persil, la tomate et l'oignon. Ajoutez ces ingrédients dans le saladier avec la menthe, l'huile et le jus de citron. Remuez, puis assaisonnez.

2. Mettez l'huile à chauffer dans une sauteuse, puis faites griller les saucisses de 5 à 10 minutes sur feu moyen. Ôtez du feu et coupez les saucisses en deux dans le sens de la longueur. Enveloppez chaque pain dans 2 feuilles de papier absorbant légèrement humides et passez-les au four à micro-ondes réglé à puissance maximale pendant 45 secondes.

3. Tartinez les pains de houmous, puis ajoutez le taboulé et les saucisses. Roulez les pains, coupez-les en deux et servez.

Wraps JAMBON & HARICOTS ROUGES

> 125 g de haricots rouges
> 75 g de maïs
> 1 avocat
> 1 tomate
> 1 cuill. à soupe de sauce au piment doux (voir la recette p. 10)
> 4 grandes tortillas de blé
> 8 tranches de jambon
> 75 g de cheddar ou de gruyère râpé

Pour 4 personnes • Préparation : 10 min • Difficulté : 1

1. **Égouttez** les haricots et le maïs, puis rincez les haricots. Coupez l'avocat en deux. Retirez la peau et le noyau. Détaillez la chair de l'avocat et la tomate en petits morceaux. Dans un saladier, mélangez ces ingrédients avec la sauce au piment.

2. **Enveloppez** chaque tortilla dans 2 feuilles de papier absorbant légèrement humides et passez-les au four à micro-ondes réglé à puissance maximale pendant 45 secondes.

3. **Couvrez** chaque tortilla de 2 tranches de jambon. Ajoutez la garniture à base de haricots, puis parsemez de fromage. Roulez les tortillas et servez.

Ces wraps à l'agneau, au taboulé, à l'huile d'olive et au citron rassemblent les meilleures saveurs de la cuisine libanaise.

Wraps à l'AGNEAU

> 1 gousse d'ail
> 4 cuill. à soupe d'huile d'olive vierge extra
> 2 cuill. à soupe de jus de citron
> 1/2 cuill. à café de fines herbes séchées
> 500 g de carré d'agneau
> 4 pains plats libanais ou pains pitas
> 250 g de houmous (voir la recette p. 52)
> 150 g de taboulé (voir la recette p. 66)
> Poivre noir concassé
> Sel

Pour 4 personnes • Préparation : 20 min • Réfrigération : 30 min • Cuisson : 10 à 15 min • Difficulté : 2

1. Pelez l'ail, puis écrasez-le. Dans un saladier, mélangez l'ail avec l'huile, le jus de citron, les fines herbes, du sel et du poivre. Ajoutez l'agneau, puis remuez. Couvrez et réservez au réfrigérateur pendant 30 minutes.

2. Faites chauffer un gril à feu vif. Égouttez l'agneau, puis faites-le griller de 5 à 7 minutes de chaque côté selon votre goût. Laissez reposer 5 minutes.

3. Enveloppez chaque pain dans 2 feuilles de papier absorbant légèrement humides et passez-les au four à micro-ondes réglé à puissance maximale pendant 45 secondes.

4. Tranchez l'agneau. Tartinez les pains de houmous, puis ajoutez le taboulé et l'agneau. Roulez les pains et servez.

Si cette recette vous plaît, vous aimerez aussi...

Wraps BŒUF & CHUTNEY DE TOMATES

Wraps au ROSBIF

Wraps BOULETTES DE BŒUF & POIVRON

Wraps BŒUF & CHUTNEY DE TOMATES

> 2 pains plats libanais ou grandes tortillas de blé
> 1 grosse tomate
> 120 g de chutney de tomates ou de fruits (voir la recette p. 42)
> 25 g de cheddar ou de gruyère râpé
> 4 fines tranches de rosbif
> 25 g de pousses de salades vertes

Pour 2 personnes • Préparation : 5 à 10 min • Difficulté : 1

1. Enveloppez chaque pain dans 2 feuilles de papier absorbant légèrement humides et passez-les au four à micro-ondes réglé à puissance maximale pendant 45 secondes.

2. Coupez la tomate en dés. Tartinez les pains libanais de chutney et parsemez-les de fromage râpé. Ajoutez le rosbif, la salade verte, puis les dés de tomate. Roulez les pains et servez.

Wraps au ROSBIF

- 4 pains *lavash* (voir p. 72) complets
- 200 g de tomates semi-séchées
- 50 cl de houmous (voir la recette p. 52)
- 8 fines tranches de rosbif
- 1 bouquet de roquette

Pour 4 personnes • Préparation : 10 min • Difficulté : 1

1. **Enveloppez** chaque pain dans 2 feuilles de papier absorbant légèrement humides et passez-les au four à micro-ondes réglé à puissance maximale pendant 45 secondes.

2. **Coupez** les tomates en morceaux. Tartinez les pains de houmous, puis ajoutez le rosbif, les tomates et la roquette. Roulez les pains et servez.

Le pain *lavash* est un pain plat fin et moelleux originaire d'Arménie, de Géorgie et d'Iran. Il est parfaitement adapté à la confection des wraps.

Wraps PIMENT, POULET & CAROTTE

> 2 pains *lavash* ou grandes tortillas de blé
> 250 g de poulet rôti
> 25 g de salade romaine
> 1 carotte
> 2 cuill. à soupe de sauce au piment doux (voir la recette p. 10)

Pour 2 personnes • Préparation : 10 min • Difficulté : 1

1. Enveloppez chaque pain dans 2 feuilles de papier absorbant légèrement humides et passez-les au four à micro-ondes réglé à puissance maximale pendant 45 secondes.

2. Émincez le poulet et la salade romaine, puis râpez la carotte. Dans un saladier, mélangez le poulet avec la sauce au piment.

3. Couvrez les pains de poulet, de salade romaine et de carotte râpée. Roulez les pains, puis servez.

Si cette recette vous plaît, vous aimerez aussi...

Paninis POULET, FETA & PESTO

Paninis au POULET ÉPICÉ

Wraps POULET, PESTO & TOMATES SÉCHÉES

Wraps FALAFELS & SALADE

> 4 pains plats libanais ou pains pitas
> 1 poivron rouge
> 1 oignon rouge
> 1 cœur de salade romaine
> 2 tomates
> 12 cl de mayonnaise (voir la recette p. 42)
> 8 à 12 falafels (voir la recette p. 88)

Pour 4 personnes • Préparation : 20 min • Repos : 2h • Cuisson : 15 min • Difficulté : 1

1. Enveloppez chaque pain dans 2 feuilles de papier absorbant légèrement humides et passez-les au four à micro-ondes réglé à puissance maximale pendant 45 secondes.

2. Épépinez le poivron et pelez l'oignon, puis coupez-les en tranches avec la salade romaine et les tomates. Tartinez les pains de mayonnaise. Ajoutez la salade, les tranches de tomate, d'oignon et de poivron, puis les falafels. Roulez les pains et servez.

Wraps BOULETTES DE BŒUF & POIVRON

- › 4 cuill. à soupe d'huile végétale
- › 6 grandes tortillas de blé
- › 1 bouquet de menthe
- › 1 poignée de coriandre
- › 1 bouquet de roquette
- › 250 g de poivrons grillés en bocal
- › 250 g de baba ganoush
  (voir la recette p. 88)

Pour les boulettes
- › 1 oignon rouge
- › 2 piments rouges
- › 1 gros œuf
- › 1 cuill. à soupe de cumin
  en poudre
- › 750 g de bœuf haché maigre
- › 35 g de chapelure
- › 4 cuill. à soupe de coriandre
  hachée
- › Sel et poivre du moulin

Pour 6 personnes • Préparation : 20 min • Cuisson : 40 min • Difficulté : 1

1. Préparez les boulettes. Pelez l'oignon, épépinez les piments et hachez le tout. Cassez l'œuf dans un bol et battez-le. Dans un grand saladier, mélangez ces ingrédients avec le cumin, le bœuf, la chapelure et la coriandre. Assaisonnez et remuez, puis façonnez 24 boulettes. Mettez 1 cuillerée à soupe d'huile à chauffer dans une sauteuse sur feu moyen. Faites cuire le tiers des boulettes 2 minutes, puis égouttez-les sur du papier absorbant. Répétez l'opération avec le reste de l'huile et des boulettes.

2. Enveloppez chaque tortilla dans 2 feuilles de papier absorbant légèrement humides et passez-les au four à micro-ondes réglé à puissance maximale pendant 45 secondes. Effeuillez la menthe et la coriandre, puis mélangez-les dans un récipient avec la roquette. Égouttez les poivrons. Tartinez les tortillas de baba ganoush, puis ajoutez la salade, les poivrons et les boulettes. Roulez les tortillas et servez.

Wraps POULET, PESTO & TOMATES SÉCHÉES

> 150 g de semoule de couscous
> 60 g de cerneaux de noix
> 4 grosses tortillas de blé
> 350 g de poulet cuit
> 8 tomates séchées à l'huile
> 1 poivron jaune

Pour le pesto
> 1 gousse d'ail
> 100 g de feuilles de basilic
> 3 cuill. à soupe d'huile d'olive vierge extra
> 1 pincée de sel
> 1 pincée de poivre
> 60 g de parmesan râpé

Pour 4 personnes • Préparation : 20 min • Cuisson : 10 min • Difficulté : 1

1. Versez la semoule dans un saladier, puis recouvrez d'eau bouillante et laissez gonfler.

2. Préparez le pesto. Pelez l'ail et mettez-le dans le bol d'un robot avec le basilic, l'huile, le sel et le poivre, puis mixez jusqu'à obtention d'un mélange homogène. Incorporez le parmesan à la préparation.

3. Hachez les cerneaux de noix. Faites-les griller 5 minutes à sec dans une poêle antiadhésive, puis réservez-les. Enveloppez chaque tortilla dans 2 feuilles de papier absorbant légèrement humides et passez-les au four à micro-ondes réglé à puissance maximale pendant 45 secondes. Détaillez le poulet en lamelles. Égouttez les tomates, puis hachez-les. Épépinez le poivron et coupez-le en dés. Tartinez les tortillas de pesto, puis ajoutez la semoule et le reste des ingrédients. Roulez les tortillas et servez.

Wraps FALAFELS & HOUMOUS

> 4 tortillas de blé blanches
>   ou aux céréales
> 1/2 salade romaine
> 1 concombre
> 120 g de houmous
>   (voir la recette p. 52)
> 150 g de taboulé
>   (voir la recette p. 66)
> 8 à 12 falafels (voir la recette p. 88)

Pour 4 personnes • Préparation : 10 min • Difficulté : 1

1. Enveloppez chaque tortilla dans 2 feuilles de papier
   absorbant légèrement humides et passez-les au four
   à micro-ondes réglé à puissance maximale pendant
   45 secondes.

2. Effeuillez la salade romaine. Tranchez finement
   le concombre dans le sens de la longueur. Tartinez
   les tortillas de houmous, puis ajoutez la salade, le taboulé,
   le concombre et les falafels. Roulez les tortillas et servez.

Wraps PORC GRILLÉ & ANANAS

> 6 côtes de porc désossées
> 6 grandes tortillas de blé
> 300 g de salsa d'ananas (voir la recette p. 52)
> 1 poignée de persil plat

Pour la sauce
> 2 gousses d'ail
> 1 cuill. à café d'origan séché
> 1/2 cuill. à café de sel
> 1 pincée de poivre moulu
> 1 pincée de piment en poudre
> 2 cuill. à soupe d'huile d'olive vierge extra

Pour 6 personnes • Préparation : 15 min • Repos : 10 min • Cuisson : 5 à 10 min • Difficulté : 1

1. Préparez la sauce. Pelez l'ail, puis hachez-le. Dans un bol, mélangez-le avec les autres ingrédients.

2. Coupez le porc en petits dés et mettez-les dans un saladier. Versez la sauce sur la viande et remuez. Mettez à chauffer un gril sur feu moyen. Faites cuire les dés de porc de 5 à 10 minutes, puis laissez-les reposer 10 minutes.

3. Enveloppez chaque tortilla dans 2 feuilles de papier absorbant légèrement humides et passez-les au four à micro-ondes réglé à puissance maximale pendant 45 secondes. Recouvrez-les de salsa d'ananas et de porc, puis parsemez de persil. Roulez les tortillas et servez.

Wraps POULET, AMANDES & MANGUES

> 150 g de farine
> 1 cuill. à café de curry en poudre
> 120 g d'amandes décortiquées
> 150 g de chapelure
> 2 gros œufs
> 12,5 cl de lait
> 125 g d'emmental
> 4 blancs de poulet sans la peau
> 300 g de salsa de mangues (voir la recette p. 52)
> 2 cuill. à soupe d'huile d'olive vierge extra
> 8 grandes tortillas de blé
> Quelques feuilles de laitue
> Sel et poivre du moulin

Pour 8 personnes • Préparation : 30 min • Cuisson : 10 à 12 min • Difficulté : 2

1. Mélangez dans un plat creux la farine avec le curry, du sel et du poivre. Hachez les amandes, puis mélangez-les dans un autre plat avec la chapelure. Dans un saladier, fouettez les œufs avec le lait. Tranchez le fromage. Divisez les blancs de poulet en deux, puis pratiquez une entaille profonde dans chaque morceau. Saupoudrez-les de farine au curry, puis ajoutez 1 tranche de fromage et 3 cuillerées à soupe de salsa de mangues. Plongez-les dans le mélange d'œufs et de lait, puis roulez-les dans la chapelure aux amandes.

2. Mettez l'huile à chauffer dans une sauteuse. Faites cuire le poulet de 5 à 7 minutes de chaque côté. Enveloppez chaque tortilla dans 2 feuilles de papier absorbant légèrement humides et passez-les au micro-ondes réglé à puissance maximale pendant 45 secondes. Émincez la laitue, puis répartissez-la sur les tortillas avec le poulet et le reste de la salsa de mangues. Roulez les tortillas et servez.

Cette succulente recette est parfaite pour un en-cas
ou un déjeuner léger.

80

Wraps POIVRONS & HOUMOUS

- 4 grandes tortillas aux épinards
  (ou tortillas de blé)
- 250 g de poivrons grillés
- 150 g de feta
- 250 g de houmous
  (voir la recette p. 52)
- 50 g de pousses d'épinards
- Feuilles de menthe

Pour 4 personnes • Préparation : 10 min • Difficulté : 1

1. Enveloppez chaque tortilla dans 2 feuilles de papier
   absorbant légèrement humides et passez-les au four
   à micro-ondes réglé à puissance maximale pendant
   45 secondes.

2. Égouttez les poivrons, puis coupez-les en lamelles.
   Émiettez la feta. Tartinez les tortillas de houmous,
   puis ajoutez les épinards, les lamelles de poivrons,
   la feta et la menthe. Roulez les tortillas, coupez-les
   en deux, puis servez.

Si cette recette vous plaît, vous aimerez aussi...

Wraps
à l'AGNEAU

Wraps FALAFELS
& HOUMOUS

Wraps TOFU
& CURRY

Wraps végétariens TOMATES & CRÈME AIGRE

> 1 petit oignon
> 1 gousse d'ail
> 1 cuill. à soupe d'huile l'olive vierge extra
> 400 g de haricots noirs
> 1 poivron rouge
> 2 courgettes
> 200 g de maïs, frais ou surgelés décongelés
> 18 cl d'eau
> 1 cuill. à café de piment en poudre
> 1/2 cuill. à café de sel
> 1/2 cuill. à café d'origan séché
> 1/2 cuill. à café de cumin en poudre
> 1 pincée de poivre moulu
> 1 cuill. à café de fécule de maïs
> 6 grandes tortillas de blé
> 300 g de salsa de tomates (voir la recette p. 88)
> 6 cuill. à soupe de crème aigre (ou crème fraîche additionnée de quelques gouttes de jus de citron)

Pour 6 personnes • Préparation : 20 min • Cuisson : 10 à 15 min • Difficulté : 1

1. Pelez l'oignon et l'ail, puis émincez-les. Mettez l'huile à chauffer dans une grande poêle. Faites revenir l'oignon et l'ail 4 minutes. Rincez les haricots, puis égouttez-les. Épépinez le poivron et hachez-le avec les courgettes. Ajoutez ces ingrédients dans la poêle avec le maïs, 15 cl d'eau, le piment, le sel, l'origan, le cumin et le poivre, puis portez à ébullition. Baissez le feu et laissez mijoter de 10 à 15 minutes à découvert.

2. Diluez dans un bol la fécule de maïs avec le reste de l'eau, puis incorporez le tout à la préparation. Portez à ébullition et laissez cuire 1 minute en remuant. Enveloppez chaque tortilla dans 2 feuilles de papier absorbant légèrement humides et passez-les au four à micro-ondes réglé à puissance maximale pendant 45 secondes. Répartissez la préparation sur les tortillas, puis ajoutez la salsa de tomates et la crème aigre. Roulez les tortillas et servez.

Wraps HARICOTS ROUGES & GUACAMOLE

- 400 g de haricots noirs
- 3 gousses d'ail
- 1/2 poivron rouge ou vert
- 3 ciboules
- Le jus de 1 citron vert
- Le jus de 1 orange
- 8 grandes tortillas de blé
- 250 g de guacamole
  (voir la recette p. 52)
- 250 g de salsa de tomates
  (voir la recette p. 88)
- Piment
- Sel

Pour 8 personnes • Préparation 15 min • Difficulté : 1

1. Égouttez les haricots. Pelez l'ail, puis épépinez
   le demi-poivron et hachez le tout. Émincez les ciboules.
   Mettez les haricots dans le bol d'un robot avec le jus
   de citron, le jus d'orange, l'ail, le piment et du sel.
   Mixez jusqu'à ce que le mélange soit homogène.
   Incorporez les ciboules et le poivron à la préparation.

2. Enveloppez chaque tortilla dans 2 feuilles de papier
   absorbant légèrement humides et passez-les au four
   à micro-ondes réglé à puissance maximale pendant
   45 secondes. Répartissez la préparation sur les tortillas,
   puis ajoutez le guacamole et la salsa de tomates.
   Roulez les tortillas et servez.

Le tofu est préparé à partir de haricots de soja trempés puis réduits en purée qui est ensuite bouillie et tamisée. Il peut avoir différentes textures, plus ou moins liquides. Le tofu ferme est moelleux et peut être coupé en dés. Il constitue une excellente source de protéines pour les végétariens.

84

Wraps TOFU & CURRY

> 75 cl d'eau
> 150 g de tofu ferme
> 1 cuill. à café de sel
> 4 grandes tortillas aux épinards (ou tortillas de blé)
> 1 grosse carotte
> 1 tige de céleri-branche
> 10 grandes feuilles de laitue
> 1 cuill. à soupe d'oignon rouge haché
> 50 g de graines de citrouille ou de tournesol crues, non salées
> Sel et poivre du moulin

Pour la sauce
> 1 petit poivron rouge
> 1 petit poivron vert
> 125 g de mayonnaise (voir la recette p. 42)
> 2 cuill. à café de curry en poudre
> 2 cuill. à soupe de jus de citron

Pour 4 personnes • Préparation : 20 min • Cuisson : 3 min • Difficulté : 1

1. Portez l'eau à ébullition dans une casserole. Coupez le tofu en dés, puis plongez-les dans l'eau avec le sel. Laissez mijoter 3 minutes. Égouttez le tofu dans une passoire, puis transférez-le sur une assiette et réservez au réfrigérateur.

2. Préparez la sauce. Épépinez les poivrons et hachez-les. Dans un petit saladier, rassemblez les autres ingrédients avec les poivrons, puis assaisonnez et remuez le tout.

3. Enveloppez chaque tortilla dans 2 feuilles de papier absorbant légèrement humides et passez-les au four à micro-ondes réglé à puissance maximale pendant 45 secondes.

4. Pelez la carotte, puis détaillez-la en lamelles. Hachez le céleri. Tartinez les tortillas de sauce, puis ajoutez la laitue, le tofu, la carotte, les poivrons, le céleri, l'oignon et les graines de citrouille. Roulez les tortillas et servez.

Si cette recette vous plaît, vous aimerez aussi...

55

Wraps ÉPINARDS & PROVOLONE

59

Wraps BETTES & FROMAGE

80

Wraps POIVRONS & HOUMOUS

Wraps DINDE, BLEU & CRANBERRIES

> 2 grandes tortillas de blé
> 250 g de dinde rôtie ou grillée
> 120 g de bleu
> 1 poignée de feuilles de laitue croquante
> 2 à 4 cuill. à soupe de sauce aux cranberries (au rayon « produits du monde » des grandes surfaces)

Pour 2 personnes • Préparation : 10 min • Difficulté : 1

1. Enveloppez chaque tortilla dans 2 feuilles de papier absorbant légèrement humides et passez-les au four à micro-ondes réglé à puissance maximale pendant 45 secondes.

2. Coupez la dinde en lamelles, puis émiettez le fromage. Couvrez les tortillas de laitue. Ajoutez la dinde et le bleu, puis arrosez de sauce aux cranberries. Roulez les tortillas et servez.

Wraps THON & OLIVES

- 180 g de thon en conserve
- 4 cuill. à soupe de mayonnaise (voir la recette p. 42)
- 4 cuill. à soupe de pesto (voir la recette p. 42)
- 2 cuill. à café de jus de citron
- 1 pincée de poivre noir moulu
- 2 grandes tortillas de blé
- 8 à 10 olives dénoyautées
- 8 feuilles de laitue
- 2 grandes tranches de provolone (voir p. 110)

Pour 2 personnes • Préparation : 10 min • Difficulté : 1

1. Égouttez le thon, puis émiettez-le dans un saladier. Ajoutez la mayonnaise, le pesto, le jus de citron et le poivre puis remuez le tout.

2. Enveloppez chaque tortilla dans 2 feuilles de papier absorbant légèrement humides et passez-les au four à micro-ondes réglé à puissance maximale pendant 45 secondes.

3. Tranchez les olives. Étalez la préparation à base de thon sur les tortillas. Ajoutez la laitue, le provolone et les olives. Roulez les tortillas, puis servez chaud.

BABA GANOUSH

Pour 750 g • Préparation : 15 min • Cuisson : 45 min •
Difficulté : 1

> 1 kg d'aubergines
> 3 gousses d'ail
> 3 cuill. à soupe de *tahini* (pâte de sésame)
> 2 cuill. à soupe de jus de citron
> 2 cuill. à soupe d'huile d'olive vierge extra
> Sel et poivre du moulin

1. Préchauffez le four à 200 °C (therm. 6-7). Placez les aubergines sur une plaque de cuisson. Enfournez pour 45 minutes, puis laissez refroidir.

2. Pelez l'ail. Hachez-le avec les aubergines, puis mettez l'ensemble dans le bol d'un robot avec le *tahini*, le jus de citron et l'huile. Assaisonnez et mixez le tout.

3. Servez aussitôt. Ce baba ganoush peut se conserver jusqu'à 5 jours au réfrigérateur dans une boîte hermétique.

TZATZIKI

Pour 400 g • Préparation : 35 min • Difficulté : 1

> 1 concombre
> 1/2 cuill. à café de sel
> 1 gousse d'ail
> 380 g de yaourt entier à la grecque
> 1 cuill. à soupe de jus de citron
> 1 cuill. à soupe d'huile d'olive vierge extra
> 1 cuill. à soupe de menthe hachée

1. Pelez le concombre, puis râpez-le et mettez-le dans une passoire. Saupoudrez de sel et laissez dégorger 20 minutes.

2. Pressez le concombre avec les mains pour en extraire le maximum d'eau. Pelez l'ail, puis émincez-le. Réunissez le tout dans un saladier avec les autres ingrédients et remuez soigneusement.

3. Servez immédiatement. Ce tzatziki peut se garder jusqu'à 5 jours au réfrigérateur dans une boîte hermétique.

FALAFELS

Pour 12 falafels • Préparation : 20 min •
Cuisson : 6 à 10 min • Difficulté : 2

> 1½ cuill. à café de graines de coriandre
> 1½ cuill. à café de graines de cumin
> 400 g de pois chiches
> 1/2 petit oignon
> 1 gousse d'ail
> 1 gros piment vert
> 15 g de persil plat
> 2 cuill. à soupe de coriandre
> 1 pincée de piment
> 25 cl d'huile végétale
> Sel et poivre du moulin

1. Faites griller les graines de coriandre et de cumin à sec 1 minute dans une poêle antiadhésive à feu moyen. Transférez-les dans un mortier et pilez-les.

2. Égouttez les pois chiches. Pelez le demi-oignon et l'ail, puis épépinez le piment et hachez le tout. Réunissez ces ingrédients dans le bol d'un robot. Ajoutez le persil, la coriandre, les graines pilées et le piment, puis mixez le tout. Assaisonnez et façonnez 12 boulettes de la taille d'une noix.

3. Mettez l'huile à chauffer dans une grande poêle sur feu moyen. Faites frire les falafels de 3 à 5 minutes de chaque côté en procédant en plusieurs fois. Retirez-les de la poêle à l'aide d'une écumoire, puis égouttez-les sur du papier absorbant.

Salsa de TOMATES

Pour 450 g • Préparation : 15 min • Repos : 30 min •
Cuisson : 15 min • Difficulté : 1

> 2 poivrons rouges
> 4 tomates
> 1 oignon rouge
> 1 gousse d'ail
> 1 gros piment rouge
> 2 cuill. à soupe de vinaigre de vin rouge
> 2 cuill. à soupe d'huile d'olive vierge extra
> 2 cuill. à soupe de persil haché
> Sel et poivre du moulin

1. Préchauffez le gril du four à température maximale.

2. Placez les poivrons sur une plaque de cuisson. Enfournez et laissez-les griller en les retournant régulièrement jusqu'à ce que la peau soit noire. Transférez les poivrons dans un sac en plastique, puis laissez refroidir 15 minutes. Pelez les poivrons, épépinez-les et coupez-les en dés.

3. Détaillez les tomates en dés. Pelez l'oignon et l'ail, puis épépinez le piment et hachez le tout. Dans un saladier, mélangez les poivrons avec les tomates, l'oignon, l'ail et le piment. Incorporez le vinaigre, l'huile et le persil à la préparation. Assaisonnez, puis servez aussitôt ou dégustez le jour même.

Sandwichs

Focaccias TOMATES & MAQUEREAU

- › 120 g de maquereau à l'huile en conserve
- › 2 tomates mûres
- › 1/2 cuill. à café d'origan séché
- › 1 cuill. à soupe d'huile d'olive vierge extra
- › 2 focaccias rondes (pains plats italiens s'achetant dans les épiceries biologiques), blanches ou aux olives noires
- › Quelques feuilles de basilic
- › Sel et poivre du moulin

Pour 2 personnes • Préparation : 10 min • Difficulté : 1

1. Égouttez le maquereau. Tranchez les tomates et réservez les 4 tranches centrales de chacune. Coupez le reste de la chair des tomates en petits morceaux et mettez-les dans un saladier avec la moitié du maquereau, la moitié de l'origan et l'huile. Assaisonnez, puis remuez le tout.

2. Coupez les focaccias en deux. Tartinez leur base de la préparation, puis ajoutez les tranches de tomate, le reste du maquereau et le basilic. Assaisonnez légèrement et parsemez du reste d'origan. Couvrez avec le dessus des focaccias et appuyez délicatement sur les sandwichs.

Si cette recette vous plaît, vous aimerez aussi...

87
Wraps THON & OLIVES

104
Sandwichs THON & MAYONNAISE

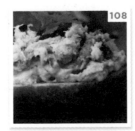
108
Petits pains AVOCAT & CRABE

Sandwichs POIRE, PECORINO & MIEL

> 1 grosse poire
> 1 ou 2 cuill. à soupe de jus de citron
> 120 g de pecorino vieux
> 4 tranches épaisses de pain aux céréales
> 2 cuill. à soupe de miel
> Quelques brins de marjolaine
> Poivre du moulin

Pour 2 personnes • Préparation : 10 min • Difficulté : 1

1. Évidez la poire. Coupez-la en fines lamelles, puis arrosez-les de jus de citron. Tranchez le pecorino et répartissez-le sur 2 tranches de pain. Nappez de miel, puis ajoutez les morceaux de poire. Parsemez de marjolaine et poivrez.

2. Couvrez avec les tranches de pain restantes et appuyez délicatement dessus.

Sandwichs CONCOMBRE & TAPENADE

> 1 concombre
> 4 tranches de pain complet
> 4 cuill. à soupe de tapenade aux tomates séchées (voir la recette p. 10 : remplacez la moitié des olives vertes par des tomates séchées)
> Poivre noir du moulin

Pour 2 personnes • Préparation : 5 à 10 min • Difficulté : 1

1. **Tranchez** finement le concombre dans le sens de la longueur. Tartinez 2 tranches de pain de tapenade, puis ajoutez les tranches de concombre et poivrez généreusement.

2. **Couvrez** avec les 2 tranches de pain restantes et appuyez délicatement dessus.

Petits pains aux CHAMPIGNONS

Pour 2 personnes • Préparation : 20 min • Cuisson : 10 min • Difficulté : 1

- 12 cl d'huile d'olive vierge extra
- 4 gros champignons
- 1 oignon
- 4 petits pains complets
- 4 cuill. à soupe de mayonnaise (voir la recette p. 42)
- 120 g de mozzarella
- 1 grosse tomate
- 4 morceaux de poivron rouge grillé
- 16 feuilles de basilic
- Sel et poivre du moulin

1. Mettez un gril à chauffer à feu moyen. Versez l'huile dans un bol, puis assaisonnez-la. Éliminez le pied des champignons. Badigeonnez d'huile le dessus des chapeaux, puis faites-les griller, côté huilé dessous, pendant 5 minutes. Réservez au chaud.
2. Pelez l'oignon, puis émincez-le. Faites-le griller 3 minutes et réservez. Ouvrez les pains en deux, puis faites-les griller 1 minute. Coupez la mozzarella et la tomate en tranches. Égouttez les morceaux de poivron. Tartinez la base des pains de mayonnaise, puis ajoutez les champignons, la mozzarella, la tomate, l'oignon, le poivron et le basilic. Salez et servez.

Focaccias aux LÉGUMES GRILLÉS

Pour 2 personnes • Préparation : 15 min • Cuisson : 10 min • Difficulté : 1

- 3 gousses d'ail
- 4 cuill. à soupe de mayonnaise (voir la recette p. 42)
- 1 cuill. à soupe de jus de citron
- 1 poivron rouge
- 1 oignon rouge
- 1 courgette verte
- 1 petite courge jaune
- 6 cuill. à soupe d'huile d'olive vierge extra
- 2 focaccias (pains plats italiens s'achetant dans les épiceries biologiques) de 20 cm de côté
- 75 g de feta

1. Pelez l'ail, puis émincez-le. Mettez-le dans un bol avec la mayonnaise et le jus de citron. Remuez, puis réservez le tout au réfrigérateur.
2. Faites chauffer un gril sur feu moyen. Épépinez le poivron et pelez l'oignon, puis émincez le tout. Tranchez la courgette et la courge en rondelles. Huilez les légumes et faites-les griller 10 minutes. Ouvrez les focaccias en deux et réchauffez-les sur le gril.
3. Tartinez la base des focaccias de mayonnaise. Émiettez la feta au-dessus, puis ajoutez les légumes grillés. Couvrez avec le dessus des focaccias et servez.

Baguette à la SALADE GRECQUE

Pour 2 personnes • Préparation : 15 min • Cuisson : 5 min • Difficulté : 1

- 1 baguette
- 1/2 petit concombre
- 1/2 petit poivron jaune
- 60 g de feta
- 1 tomate
- 1/2 oignon rouge
- 1 petite gousse d'ail
- 4 à 6 olives vertes dénoyautées
- 4 à 6 cuill. à soupe de yaourt à la grecque
- 1 cuill. à café de vinaigre de vin blanc
- 1 cuill. à soupe de menthe hachée
- 1 cuill. à café de zeste de citron râpé
- Sel et poivre du moulin

1. Préchauffez le four à 200 °C (therm. 6-7). Coupez la baguette en deux dans le sens de la largeur, puis ouvrez chaque partie en deux. Enfournez ces morceaux jusqu'à ce qu'ils soient croustillants.
2. Pelez le demi-concombre, puis épépinez le demi-poivron et détaillez le tout en dés avec la feta et la tomate. Pelez l'oignon et l'ail. Émincez l'oignon, puis hachez les olives et l'ail. Couvrez la base des sandwichs de feta, de tomate, de concombre, de poivron, d'oignon et d'olives. Dans un petit saladier, mélangez le reste des ingrédients. Versez le tout sur les sandwichs, puis assaisonnez. Couvrez avec le dessus de la baguette et servez.

Baguette TOMATES & ROQUETTE

Pour 2 personnes • Préparation : 15 min • Cuisson : 5 min • Difficulté : 1

- 1 baguette
- 8 à 10 tomates cerises
- 1 petite gousse d'ail
- 1 cuill. à soupe d'huile d'olive vierge extra
- 1 poignée de roquette
- 90 g de parmesan en copeaux
- Sel

1. Préchauffez le four à 200 °C (therm. 6-7). Coupez la baguette en deux dans le sens de la largeur, puis ouvrez chaque partie en deux. Enfournez les morceaux jusqu'à ce qu'ils soient croustillants.
2. Tranchez les tomates cerises. Pelez l'ail, puis frottez-en la base des sandwichs et arrosez-la d'huile. Ajoutez la roquette, le parmesan et les tomates cerises. Salez.
3. Couvrez avec le dessus de la baguette, puis appuyez légèrement sur les sandwichs.

Sandwichs au JAMBON DE PARME

› 30 à 60 g de beurre
› 4 grandes tranches de pain de mie
› 120 g de jambon de Parme finement tranché

Pour 2 personnes • Préparation : 5 min • Difficulté : 1

1. Beurrez le pain. Pliez les tranches de jambon de Parme, puis disposez-les sur 2 tranches de pain.

2. Couvrez avec les tranches de pain restantes et appuyez délicatement dessus.

Sandwichs PECORINO, POIVRONS & ANCHOIS

- 2 gros poivrons rouges
- 1 gousse d'ail
- 120 g de pecorino jeune
- 4 tranches épaisses de pain aux olives
- 2 cuill. à café de pâte d'anchois
- 1 cuill. à soupe de coriandre hachée
- Sel et poivre du moulin

Pour 2 personnes • Préparation : 15 min • Repos : 10 min • Cuisson : 15 min • Difficulté : 1

1. Préchauffez le gril du four. Placez les poivrons sur une plaque de cuisson. Enfournez et laissez-les griller en les retournant régulièrement jusqu'à ce que la peau soit noire. Transférez les poivrons dans un sac en plastique, puis laissez refroidir 15 minutes.

2. Pelez l'ail et hachez-le pendant ce temps. Tranchez le pecorino, puis pelez les poivrons et coupez-les en morceaux. Tartinez 2 tranches de pain de pâte d'anchois, puis ajoutez les poivrons, l'ail, le pecorino et la coriandre. Salez et poivrez. Couvrez avec les tranches de pain restantes et appuyez délicatement dessus.

Pour varier les plaisirs, vous pouvez tartiner chaque petit pain de 2 cuillerées à soupe de mayonnaise faite maison (voir la recette p. 42).

98

Sandwichs CREVETTES & AVOCAT

› 2 ciboules
› 30 g de beurre ramolli
› 120 g de crevettes décortiquées
› 1 avocat
› 2 petits pains ronds
› 1 poignée de mâche
› 1 cuill. à soupe de jus de citron ou de citron vert
› Sel et poivre du moulin

Pour 2 personnes • Préparation : 15 min • Cuisson : 4 à 6 min • Difficulté : 1

1. Émincez les ciboules. Faites fondre le beurre dans une petite poêle à feu moyen, puis faites revenir les ciboules pendant 3 minutes. Ajoutez les crevettes et prolongez la cuisson de 2 ou 3 minutes. Réservez le jus de cuisson.

2. Coupez l'avocat en deux. Ôtez la peau et le noyau, puis tranchez la chair. Ouvrez les petits pains en deux, puis couvrez la base de mâche et d'avocat. Ajoutez les crevettes. Arrosez du jus de cuisson et du jus de citron, puis assaisonnez.

3. Couvrez avec le dessus des petits pains. Appuyez délicatement sur les sandwichs et servez sans attendre.

Si cette recette vous plaît, vous aimerez aussi...

Wraps **CREVETTES & GUACAMOLE**

Focaccias **TOMATES & MAQUEREAU**

Roulés **ROBIOLA & SAUMON FUMÉ**

Sandwichs BRESAOLA, PARMESAN & KIWIS

> 1 grosse courgette
> 2 kiwis
> 2 focaccias (pains plats italiens s'achetant dans les épiceries biologiques) de 20 cm de côté
> 120 g de fines tranches de bresaola ou de prosciutto (charcuteries italiennes)
> 120 g de parmesan en copeaux
> 2 cuill. à soupe d'huile d'olive vierge extra
> Le jus de 1 citron
> Sel et poivre du moulin

Pour 2 personnes • Préparation : 10 min • Difficulté : 1

1. Tranchez finement la courgette dans le sens de la longueur, puis assaisonnez-la.

2. Faites chauffer un gril à feu vif. Pelez les kiwis et coupez-les en rondelles. Faites griller les focaccias, puis coupez-les en deux. Couvrez la base de courgette, de bresaola (ou de prosciutto), de parmesan et de kiwi. Arrosez d'huile, puis de jus de citron.

3. Poivrez, puis ajoutez le dessus des focaccias et appuyez délicatement sur les sandwichs.

Sandwichs SAUCISSON SEC & FIGUES

- › 4 à 6 figues
- › 4 tranches de pain de mie blanc ou complet
- › 2 cuill. à soupe de confiture de figues
- › 8 tranches de saucisson sec

Pour 2 personnes • Préparation : 5 min • Difficulté : 1

1. Tranchez les figues. Tartinez les tranches de pain de confiture, puis répartissez le saucisson et les figues sur 2 tartines.

2. Ajoutez les tranches de pain restantes et servez.

Cette recette permet de préparer un déjeuner ou un en-cas riche en protéines et en vitamines !

Sandwichs à l'OMELETTE

> 4 gros œufs
> 6 cuill. à soupe de lait ou de crème fraîche
> 3 cuill. à soupe de fines herbes hachées (ciboulette, persil, menthe, aneth, marjolaine, thym, etc.)
> 30 g de beurre
> 2 petits pains aux céréales
> 2 à 4 cuill. à soupe de mayonnaise (voir la recette p. 42)
> Salade verte croquante
> Sel et poivre du moulin

Pour 2 personnes • Préparation : 15 min • Difficulté : 1

1. Préchauffez le gril du four. Cassez les œufs dans deux saladiers en séparant les jaunes des blancs. Fouettez les jaunes jusqu'à ce qu'ils blanchissent puis ajoutez le lait sans cesser de battre et assaisonnez. Battez les blancs d'œufs en neige et incorporez-les à la préparation avec les fines herbes.

2. Faites fondre le beurre dans une poêle à feu moyen, puis faites cuire l'omelette jusqu'à ce qu'elle soit prise.

3. Glissez la poêle sous le gril du four et laissez cuire jusqu'à ce que l'omelette soit dorée.

4. Roulez l'omelette, puis coupez-la en deux. Ouvrez les pains en deux et tartinez la base de mayonnaise. Ajoutez la salade verte et l'omelette, puis couvrez avec le dessus des petits pains et appuyez délicatement sur les sandwichs.

Si cette recette vous plaît, vous aimerez aussi...

Sandwichs **THON & MAYONNAISE**
104

Sandwichs **POULET & MAYONNAISE**
114

Baguette **ŒUFS & FROMAGE**
116

Sandwichs THON & MAYONNAISE

> 120 g de thon en conserve
> 2 cuill. à soupe de câpres
> 4 cuill. à soupe de mayonnaise
  (voir la recette p. 42)
> 2 cuill. à soupe de petits oignons
  au vinaigre
> 2 petits pains ronds
> 4 à 6 brins de persil
> Sel et poivre du moulin

Pour 2 personnes • Préparation : 10 min • Difficulté : 1

1. Égouttez le thon et hachez les câpres. Réunissez ces ingrédients dans un saladier, puis ajoutez la mayonnaise et mélangez le tout.

2. Coupez les oignons en rondelles et ouvrez les pains en deux. Tartinez leur base de la préparation au thon, puis ajoutez les oignons et le persil. Salez et poivrez.

3. Couvrez avec le dessus des pains et appuyez délicatement sur les sandwichs.

Sandwichs SAUMON & MASCARPONE

> 4 petits pains ronds briochés
> 4 cuill. à soupe de mascarpone
> 2 tranches de saumon fumé
> 1 filet de jus de citron vert
> 4 petites olives noires dénoyautées
> Poivre du moulin

Pour 2 personnes • Préparation : 5 min • Difficulté : 1

1. **Ouvrez** les petits pains en deux, puis tartinez-les de mascarpone. Coupez chaque tranche de saumon en 2 ou 3 morceaux, puis répartissez-les sur la base des pains. Arrosez de jus de citron vert. Poivrez, puis couvrez avec le dessus des petits pains.

2. **Enfilez** chaque olive sur une pique en bois, puis plantez-les dans les pains pour maintenir le dessus en place.

La robiola est un fromage frais et léger originaire du Nord-Est
de l'Italie, fabriqué avec du lait de vache et de chèvre ou de brebis.
Son arrière-goût légèrement acide se marie à merveille
avec les fines herbes et le saumon. Si vous n'en trouvez pas,
vous pouvez le remplacer par du fromage frais allégé.

Roulés ROBIOLA & SAUMON FUMÉ

- › 4 tranches de pain de mie complet
- › 90 g de robiola ou de fromage frais allégé
- › 1 cuill. à soupe de persil haché
- › 2 cuill. à soupe de cresson haché
- › 1 cuill. à café de jus de citron
- › 2 grandes tranches de saumon fumé
- › Poivre blanc du moulin

Pour 2 personnes • Préparation : 10 min • Réfrigération : 2h •
Difficulté : 1

1. Ôtez la croûte du pain et jetez-la. Aplatissez légèrement les tranches de pain à l'aide d'un rouleau à pâtisserie en veillant à ne pas les déchirer.

2. Fouettez dans un petit saladier la robiola avec le persil, le cresson, le jus de citron et du poivre.

3. Tartinez les tranches de pain de robiola aux fines herbes. Ajoutez le saumon, puis roulez délicatement le pain. Enveloppez les rouleaux dans une feuille d'aluminium et réservez-les au réfrigérateur pendant 2 heures.

4. Déballez les roulés, coupez-les en 5 ou 6 morceaux et servez.

Si cette recette vous plaît, vous aimerez aussi...

Wraps SAUMON
& FROMAGE FRAIS

Sandwichs SAUMON
& MASCARPONE

Sandwichs SAUMON
& CONCOMBRE

Petits pains AVOCAT & CRABE

> 1 avocat
> 1 cuill. à soupe de jus de citron
> 1 cuill. à soupe de coriandre hachée
> 4 cuill. à soupe de mayonnaise (voir la recette p. 42)
> 1 petit piment
> 120 g de chair de crabe cuite
> 2 petits pains longs
> Quelques feuilles de coriandre
> Sel et poivre du moulin

Pour 2 personnes • Préparation : 10 min • Difficulté : 1

1. Coupez l'avocat en deux, puis ôtez la peau et le noyau. Mettez la chair dans un saladier avec le jus de citron et la coriandre hachée. Écrasez à l'aide d'une fourchette, puis incorporez la mayonnaise à la préparation.

2. Épépinez le piment et hachez-le avec le crabe. Ouvrez les pains en deux. Tartinez leur base de mayonnaise à l'avocat, puis ajoutez le crabe. Parsemez de piment et de feuilles de coriandre. Assaisonnez et couvrez avec le dessus des pains, puis servez.

Sandwichs MASCARPONE, OIGNONS & OLIVES

- 1 oignon rouge
- 8 olives noires dénoyautées
- 2 petits pains longs, blancs ou complets
- 90 g de mascarpone
- 8 à 10 brins de marjolaine
- 1 filet d'huile d'olive vierge extra
- Sel et poivre du moulin

Pour 2 personnes • Préparation : 10 min • Difficulté : 1

1. Pelez l'oignon, puis émincez-le. Détaillez les olives en rondelles. Ouvrez les pains en deux, puis tartinez leur base de mascarpone. Ajoutez l'oignon et la marjolaine. Arrosez d'huile, puis assaisonnez.

2. Couvrez avec le dessus des pains et appuyez délicatement sur les sandwichs.

Originaire du Sud de l'Italie, le provolone piquant
(*provolone piccante*) est affiné jusqu'à 12 mois. Il est différent
du provolone doux fabriqué dans le Nord du pays.
Son goût intense se marie à merveille avec la fraîcheur
de la pomme et le goût de l'huile d'olive.

110

Sandwichs PROVOLONE & POMME

› 4 tranches épaisses de pain blanc
› 1 pomme granny smith bio
› 120 g de provolone piquant
  ou de cantal
› 1 ou 2 cuill. à soupe de jus
  de citron
› 2 cuill. à soupe d'huile d'olive
  vierge extra
› Sel et poivre du moulin

Pour 2 personnes • Préparation : 10 min • Difficulté : 1

1. **Faites griller** le pain. Évidez la pomme, puis tranchez-la
   finement avec le provolone. Répartissez les morceaux
   de pomme sur 2 tranches de pain et arrosez-les de jus
   de citron. Ajoutez le provolone. Assaisonnez légèrement,
   puis arrosez d'huile.

2. **Couvrez** avec les tranches de pain restantes et appuyez
   délicatement sur les sandwichs.

Si cette recette vous plaît, vous aimerez aussi...

34

Paninis POMMES RÔTIES
& BRIE

92

Sandwichs POIRE,
PECORINO & MIEL

100

Sandwichs BRESAOLA,
PARMESAN & KIWIS

Club-sandwichs au POULET

> 6 tranches de pain de mie blanc ou complet
> 45 g de beurre ramolli
> 4 tranches de pancetta ou de bacon
> 120 g de poulet rôti
> 2 tomates
> 1 poignée de roquette
> 8 olives noires dénoyautées
> 2 cuill. à soupe de coriandre hachée
> 1 pincée de paprika doux
> 3 ou 4 cuill. à soupe de mayonnaise (voir la recette p. 42)
> Sel et poivre du moulin

Pour 2 personnes • Préparation : 15 min • Cuisson : 7 à 10 min • Difficulté : 1

1. Préchauffez le four à 180 °C (therm. 6). Ôtez la croûte du pain et jetez-la. Beurrez légèrement le pain, placez-le sur une plaque de cuisson, puis enfournez pour 5 minutes.

2. Faites griller la pancetta à sec dans une petite poêle antiadhésive pendant 2 ou 3 minutes. Tranchez le poulet et les tomates, puis hachez grossièrement la roquette et les olives. Posez 2 tranches de pain sur le plan de travail. Répartissez dessus la moitié du poulet, de la pancetta, des tomates, de la roquette, des olives et de la coriandre. Assaisonnez, puis saupoudrez de paprika. Ajoutez 1 tranche de pain et répétez l'opération avec le reste des ingrédients.

3. Couvrez avec les tranches de pain restantes et servez.

Club-sandwichs TOMATES & HOUMOUS

> 4 à 6 tomates cerises

> 30 g de beurre ramolli

> 8 tranches de pain de mie blanc ou complet

> 4 cuill. à soupe de houmous (voir la recette p. 52)

> 1 petit bouquet de roquette

> 2 cuill. à soupe d'huile d'olive vierge extra

> 1 cuill. à soupe de raisins secs

> 1 cuill. à café de graines de cumin

> 2 cuill. à soupe de jus de citron

> Sel et poivre du moulin

Pour 1 ou 2 personnes • Préparation : 10 min • Cuisson : 5 à 10 min • Difficulté : 1

1. Tranchez les tomates cerises. Beurrez légèrement le pain, puis tartinez 2 tranches de pain de houmous. Couvrez de 1 tranche de pain, de roquette et des tomates cerises. Arrosez d'huile, puis assaisonnez.

2. Ajoutez 1 tranche de pain et parsemez de raisins secs. Saupoudrez de cumin, puis arrosez de jus de citron. Couvrez avec les tranches de pain restantes et servez.

Ces délicieux sandwichs composés de pain complet
et d'une garniture au poulet constituent un repas sain
et équilibré. Si vous souhaitez leur donner une texture
croquante, incorporez des dés de pomme à la préparation
à base de poulet. Vous pouvez préparer celle-ci à l'avance
et assembler les sandwichs à la dernière minute.

Sandwichs POULET & MAYONNAISE

> 180 g de poulet rôti ou grillé
> 2 tiges de céleri-branche
> 2 tomates
> 6 olives noires dénoyautées
> 2 cuill. à soupe de persil haché
> 4 à 6 cuill. à soupe de mayonnaise
  (voir la recette p. 42)
> 2 petits pains ronds, complets
> Sel et poivre du moulin

Pour 2 personnes • Préparation : 10 min • Difficulté : 1

1. Retirez la peau et la graisse du poulet. Détaillez-le en fines
    lamelles. Émincez le céleri, puis coupez les tomates
    et les olives en petits morceaux. Réunissez ces ingrédients
    dans un saladier avec le persil et la mayonnaise.
    Assaisonnez, puis mélangez le tout.

2. Ouvrez les pains en deux. Garnissez leur base
    de la préparation, puis ajoutez le dessus des pains
    et servez.

Si cette recette vous plaît, vous aimerez aussi...

Wraps POULET
& POIVRONS

Club-sandwichs
au POULET

Sandwichs POULET
& CRANBERRIES

Sandwichs au BŒUF

Pour 4 personnes • Préparation : 15 min • Cuisson : 10 min • Difficulté : 1

> 2 oignons
> 2 cuill. à soupe d'huile d'olive vierge extra
> 4 entrecôtes de 150 g
> 1 cuill. à café de piment en poudre
> 4 petits pains carrés

> 120 g de chutney de tomates (voir la recette p. 42)
> 50 g de roquette
> 120 g de mayonnaise (voir la recette p. 42)
> Sel et poivre du moulin

1. Allumez un barbecue ou faites chauffer un gril à feu moyen. Pelez les oignons, puis émincez-les. Arrosez le gril ou la plaque du barbecue de 1 cuillerée à soupe d'huile et faites griller les oignons pendant 4 ou 5 minutes.

2. Badigeonnez les entrecôtes du reste d'huile. Assaisonnez-les, ajoutez le piment en poudre et mettez-les à griller 2 minutes de chaque côté.

3. Ouvrez les pains en deux et faites-les griller légèrement. Tartinez leur base de chutney de tomates. Ajoutez la viande, l'oignon et la roquette. Tartinez le dessus des pains de mayonnaise, puis posez-le sur les sandwichs et servez.

Bagels à la DINDE

Pour 4 personnes • Préparation : 5 min • Difficulté : 1

> 4 bagels
> 12 cl de fromage frais
> 8 tranches de dinde rôtie ou fumée
> 8 tranches de camembert
> 6 cuill. à soupe de sauce aux cranberries (au rayon «produits du monde» des grandes surfaces)

> 60 g de pousses de pois ou de pois gourmands
> Sel et poivre du moulin

1. Ouvrez les bagels en deux, puis tartinez chaque moitié de fromage frais.

2. Répartissez sur chaque moitié la dinde, le camembert, la sauce aux cranberries et les pousses de pois. Assaisonnez, puis servez.

Focaccias FROMAGE & CÉLERI

Pour 2 personnes • Préparation : 10 min • Difficulté : 1

> 1 poire
> 1 tige de céleri-branche
> 2 focaccias (pains plats italiens s'achetant dans les épiceries biologiques) de 20 cm de côté

> 150 g de fromage frais
> Sel et poivre du moulin

1. Pelez la poire, puis évidez-la. Détaillez le céleri et la poire en fines tranches. Ouvrez les focaccias en deux, puis tartinez leur base de fromage frais et répartissez dessus les morceaux de poire et de céleri.

2. Salez et poivrez. Couvrez avec le dessus des focaccias, puis servez.

Baguette ŒUFS & FROMAGE

Pour 2 personnes • Préparation : 10 min • Difficulté : 1

> 2 œufs durs
> 60 g de fromage à pâte tendre (emmental, gouda...)
> 2 tomates
> 1/2 cuill. à soupe de câpres en saumure

> 1 baguette
> Quelques feuilles de salade verte
> Sel et poivre du moulin

1. Écalez les œufs, puis tranchez-les avec le fromage et les tomates. Rincez les câpres. Ouvrez la baguette en deux, puis répartissez sur sa base la salade, le fromage, les tomates et les œufs. Parsemez de câpres et assaisonnez légèrement.

2. Ajoutez le dessus de la baguette, puis appuyez légèrement sur le sandwich. Coupez-le en morceaux de la taille souhaitée et servez.

Sandwichs POULET & CRANBERRIES

> 1 pomme granny smith bio
> 500 g de poulet rôti
> 25 g de céleri-branche
> 2 ciboules
> 75 g de cerneaux de noix de pécan
> 100 g de cranberries séchées
> 25 cl de mayonnaise (voir la recette p. 42)
> 1 cuill. à soupe de jus de citron vert
> 1 cuill. à café de curry en poudre
> 16 tranches de pain de mie complet
> 50 g de pousses de salade verte

Pour 8 personnes • Préparation : 15 min • Cuisson : 5 min • Difficulté : 1

1. Évidez la pomme, puis coupez-la en petits dés avec le poulet. Émincez le céleri et les ciboules, puis hachez les noix de pécan. Réunissez ces ingrédients dans un saladier avec les cranberries.

2. Mélangez dans un bol la mayonnaise avec le jus de citron et le curry. Transvasez le tout dans le saladier, remuez, puis réservez au réfrigérateur jusqu'au moment de servir.

3. Préchauffez le four à 180 °C (therm. 6). Découpez un cœur dans chaque tranche de pain à l'aide d'un emporte-pièce. Placez les cœurs de mie sur une plaque de cuisson, puis enfournez pour 5 minutes.

4. Incorporez la salade verte à la préparation. Répartissez le tout sur les toasts et servez aussitôt.

Sandwichs SAUMON & CONCOMBRE

> 2 cuill. à café de câpres
> 150 g de saumon en conserve
> 25 cl de fromage frais
> 1 cuill. à soupe de ciboulette hachée
> 2 cuill. à café de jus de citron vert
> 125 g de beurre ramolli
> 1 cuill. à soupe d'estragon haché
> 24 tranches de pain de mie blanc ou complet
> 1 gros concombre

Pour servir
> Quelques câpres

Pour 12 sandwichs • Préparation : 30 min • Difficulté : 2

1. Rincez les câpres. Égouttez le saumon, puis émiettez-le. Réunissez ces ingrédients dans un saladier avec le fromage frais, la ciboulette et le jus de citron, puis mélangez le tout. Transvasez la préparation dans une poche à douille et réservez-la au réfrigérateur.

2. Mélangez dans un bol le beurre avec l'estragon. Découpez une fleur dans chaque tranche de pain à l'aide d'un emporte-pièce. Pelez le concombre, puis tranchez-le et découpez 12 fleurs dans ses rondelles.

3. Tartinez les fleurs de mie de beurre à l'estragon, puis posez 1 fleur en concombre sur 12 d'entre elles. Ajoutez les fleurs en pain restantes et appuyez légèrement dessus. Disposez les sandwichs sur un plat de service, puis répartissez dessus la préparation à base de saumon. Parsemez de câpres et servez.

INDEX